DANS LA MÊME COLLECTION

Une foule d'histoires
dans ma valise

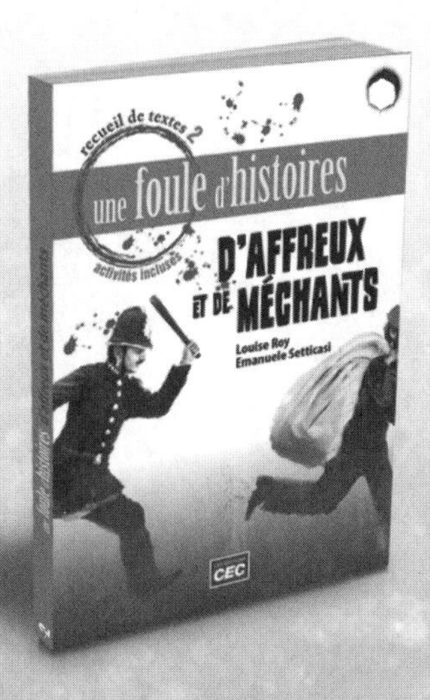

Une foule d'histoires
d'affreux et de méchants

TABLE DES MATIÈRES

NICOLE GUILBAULT

Nicole Guilbault est née en 1947. Elle a été professeure de littérature au cégep François-Xavier-Garneau de Québec. C'est elle qui a dirigé la publication du livre *Fantastiques légendes du Québec : récits de l'ombre et du sombre,* d'où est tiré le texte *L'auto-stoppeuse du Maine* et *La roche du diable.* Le projet à l'origine de ce livre a quelque chose de très particulier : Nicole Guilbaut a demandé à ses étudiants de lui servir de « collecteurs de légendes » auprès d'« informateurs » de différentes régions du Québec, c'est-à-dire de gens ayant encore en mémoire des récits ancestraux. En fouillant ainsi, avec ses collaborateurs, dans la tradition orale québécoise, elle a réussi à fixer sur papier des histoires qui ont été racontées de génération en génération.

De la même auteure…

Henri Julien et la tradition orale (1980)
Il était cent fois la Corriveau (1995)
Bestiaire des légendes du Québec (2009)

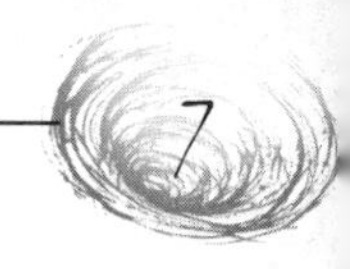

À PROPOS DE *L'auto-stoppeuse du Maine*

L'auto-stoppeuse du Maine est une histoire toute simple, qui a des points communs avec bien d'autres histoires de fantômes, comme on en voit au cinéma. Le récit est situé dans une époque pas si lointaine et met en scène un automobiliste qui fait monter un mystérieux personnage à bord de son véhicule. On a souvent l'impression que les légendes sont très anciennes, mais il existe un folklore relativement récent. Il y a d'ailleurs une expression pour désigner ces histoires, qui circulent dans Internet par exemple, et dont la véracité n'est pas prouvée : les *légendes urbaines*.

Ian Ajmo avait 21 ans lorsqu'il a raconté la légende de *L'auto-stoppeuse du Maine* afin qu'elle soit répertoriée dans le recueil dirigé par Nicole Guilbault. Cette histoire lui avait été racontée par ses parents, qui l'avaient apprise de leurs parents, et ainsi de suite jusqu'à un ancêtre lointain. C'est souvent de cette manière que les légendes nous parviennent. Dès les premières phrases, Ian Almo situe le récit dans un lieu et dans une époque, et il indique sa source. En procédant de cette façon, il donne l'impression que son histoire est crédible et vraie. C'est là un vieux truc de conteurs !

POUR SE PRÉPARER À LA LECTURE

Après avoir lu les textes des pages précédentes, réponds aux questions suivantes.

1. Cette histoire étrange met en scène un jeune homme d'une école secondaire américaine, qu'on appelle un *high school.* As-tu déjà remarqué que de nombreux films d'horreur ont pour personnages principaux des adolescents qui fréquentent une école secondaire ? Pourquoi, selon toi ?

2. Quelle image te fais-tu d'un fantôme ?

3. Cette légende est issue de la tradition orale. Elle a été racontée maintes fois, à plusieurs générations. Crois-tu qu'une histoire ainsi transmise est restée la même au fil des transmissions ? Justifie ta réponse.

4. Remémore-toi une histoire familiale qui aurait traversé le temps. Pourquoi cette histoire est-elle encore racontée dans ta famille ?

5. Résume une légende urbaine, c'est-à-dire une histoire dont la véracité n'a jamais été établie et qui se déroule à notre époque. Si tu n'en connais pas, entre l'expression « légendes urbaines » dans un moteur de recherche, dans Internet, choisis une légende urbaine et résume-la.

L'auto-stoppeuse du Maine

NICOLE GUILBAULT

Légende recueillie en 1994 par Annick Gilbert.
Informateur : Ian Ajmo, 21 ans, Québec.
Localisation : Maine, États-Unis.

Je vais vous raconter une légende américaine qui est répandue dans les *High Schools*[1] les nuits de bal. C'est une sorte de tradition. C'est mon grand-père qui me l'a racontée. Il était Américain, et cette histoire-là circulait quand il était 5 jeune, vers 1940. Ça se passe au Maine.

C'est un garçon qui, après un bal de finissants, va à son **après-bal.** Et en revenant, sur la

1. Qu'est-ce que l'*après-bal* ?

1 Écoles secondaires, en anglais.

route 51, il voit une fille qui porte une belle robe rose, une robe de bal. Elle *fait du pouce.* Il s'arrête pour la faire monter. Elle entre dans l'auto, mais elle insiste pour s'asseoir en arrière. Comme il était sur une autoroute, les voitures roulaient vite. La fille avait froid, elle grelottait.

En regardant dans son rétroviseur, il s'est rendu compte de cela et il lui a prêté son veston. Dès qu'elle l'a mis, il a vu sur son visage qu'elle se sentait mieux. Ils ont parlé assez longtemps, puis il lui a demandé son adresse pour pouvoir la conduire directement chez elle, vu qu'il était tard, sans qu'il lui arrive quelque chose. Elle lui a donné l'adresse : le 51 Greenfield Road. Il savait où se trouvait cette rue-là.

Il a donc emprunté une route beaucoup plus sombre qui menait vers cet endroit. Ils ont continué de parler ensemble et il a fini par lui demander : « Qu'est-ce que tu faisais en plein milieu de la route à pareille heure ? » Comme il n'avait aucune réponse, il a regardé à nouveau dans son rétroviseur, mais la fille n'était plus là. Il a regardé en arrière, sur la banquette, pour voir si elle ne s'était pas cachée. Elle n'y était pas. Il ne comprenait plus ! Il ne s'était pas arrêté, et il avait roulé à soixante, soixante-dix **milles**[2] à l'heure depuis quinze ou vingt minutes.

2. Pourquoi l'auteur utilise-t-il l'unité de distance *mille* au lieu de *kilomètre* ?

Il a décidé de se rendre à l'adresse qu'elle lui avait donnée. Arrivé là, il sonne, en pleine nuit. Une dame vient lui répondre. Il lui dit : « Excusez-moi, mais j'ai rencontré votre fille sur

2 Environ 100 à 110 kilomètres à l'heure.

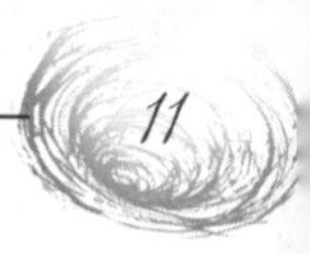

la route ; elle m'a donné votre adresse quand elle était dans
35 mon auto et ensuite, je ne sais pas ce qui s'est passé mais elle
est disparue. »

À ce moment-là, la femme tombe à genoux et éclate en sanglots. Son mari arrive, l'air contrarié. Il dit : « Qu'est-ce que c'est que ces affaires-là ? » Sa femme lui explique : « Il vient de
40 me dire qu'il a vu notre fille. Ça n'a pas de bon sens de nous faire un coup pareil ! » Le mari a continué : « Aie ! Tu nous **fais marcher** ! » Il l'a pratiquement traité de menteur. Il ajoute : « Notre fille est morte il y a trois ans, la nuit de son après-bal. Si tu ne nous crois pas, regarde la
45 photo sur le piano. » Le garçon a répondu : « Oui, c'est bien elle que j'ai vue. »

3. Remplace l'expression *fais marcher* par une expression synonyme.

Le père a encore monté le ton : « Aie ! moque-toi pas, elle est au cimetière, à deux pâtés de maisons d'ici. Va voir si tu
50 ne nous crois pas. Tu vas trouver sa pierre tombale. »

Il est parti, plutôt mal à l'aise. Il les avait quand même réveillés et leur avait rappelé des souvenirs douloureux. Mais il était sûr de l'avoir bien vue, cette fille-là.

Il se rend donc au cimetière. Il cherche, il cherche encore.
55 Et à un moment donné, il voit une pierre tombale qui portait le nom de la fille.

Et son veston était là.

Nicole Guilbault (dir. publ.), *Fantastiques légendes du Québec : récits de l'ombre et du sombre*, Éditions ASTED, Montréal, 2001.

APRÈS LA LECTURE

1 Les questions suivantes vont te permettre de préciser les principaux éléments narratifs du texte *L'auto-stoppeuse du Maine*.

a) Quand se déroulent les événements racontés ?
b) Où se déroulent les événements racontés ?
c) Qui sont les deux principaux personnages mis en scène ?

2 Ce texte est présenté comme une légende, c'est-à-dire un récit populaire où se mêlent le réel et le fantastique. Parmi les événements racontés, lesquels :

a) font partie du monde réel ?
b) font partie du monde fantastique ?

3 Les légendes sont souvent transmises oralement, de génération en génération, dans une langue familière et transcrites par la suite. Attribue à chaque extrait une des caractéristiques de l'encadré.

• utilisation de mots simples • utilisation d'une forme interrogative familière • utilisation d'une expression familière • remplacement du pronom démonstratif *cela* par une forme familière

a) C'est une sorte de tradition. (lignes 2 et 3)
b) Ça se passe au Maine. (ligne 5)
c) Elle fait du pouce. (ligne 9)
d) « Qu'est-ce que c'est que ces affaires-là ? » (lignes 38 et 39)

4 Résume chacune des parties du schéma narratif par un court énoncé.

Situation initiale : ///
Élément déclencheur : ///
Péripéties : ///
Dénouement : //

5 a) Que penses-tu de la réaction du jeune homme lorsque la jeune femme disparaît ? Trouves-tu sa réaction logique ?
b) Selon toi, pourquoi la jeune femme disparaît-elle ?

6 Imagine maintenant dans quelles circonstances la jeune femme a perdu la vie.

7 Si tu gardais un jeune enfant d'environ huit ans, lui raconterais-tu l'histoire de l'auto-stoppeuse ? Justifie ta décision.

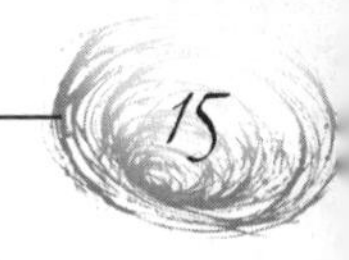

À PROPOS DE *La roche du diable*

La roche du diable est une légende du folklore québécois qui a des points communs avec d'autres légendes québécoises, comme *Rose Latulippe* et *La chasse-galerie,* qui racontent des aventures où le diable intervient dans la vie des gens. De plus, tous les éléments typiques du patrimoine culturel du 19e siècle y sont présents. Le récit plonge les lecteurs dans la campagne, avec ses agriculteurs, qui travaillaient très fort pour survivre aux caprices des saisons. Il évoque également l'Église, qui jouait un rôle important dans les villages, et rythmait la vie des gens, avec ses cérémonies de mariage, de baptême, ses funérailles et ses messes du dimanche.

Cette histoire, tirée du recueil *Fantastiques légendes du Québec : récits de l'ombre et du sombre*, a été racontée par Denis Laverdière, un homme de Saint-Lazare-de-Bellechasse. Julie Morin l'a transcrite pour le compte de Nicole Guilbault, la responsable du recueil. Malgré son côté fantastique, *La roche du diable* illustre bien comment les gens vivaient au 19e siècle.

Si l'histoire de *La roche du diable* tient de la légende, il existe cependant à Saint-Lazare-de Bellechasse, un village de la région administrative de Chaudière-Appalaches, une roche que l'on dit marquée par le diable. Voici le récit de son origine…

POUR SE PRÉPARER À LA LECTURE

Après avoir lu le texte de la page précédente, réponds aux questions suivantes.

1. Quand tu penses au folklore québécois, quelles images te viennent en tête ?

2. L'histoire se déroule dans un univers rural au 19e siècle. Aurais-tu aimé vivre à la campagne à cette époque ? Quels étaient les avantages de la vie rurale et quels en étaient les inconvénients ?

3. Dans cette histoire, on situe l'action dans la paroisse de Saint-Lazare. Qu'est-ce qu'une paroisse ? Sais-tu le nom de la paroisse dans laquelle tu demeures ?

4. *La roche du diable* est une légende issue de la tradition orale, racontée de génération en génération. Quelles sont les histoires que des adultes t'ont racontées lorsque tu étais enfant, et qui leur avaient été racontées par leurs parents ?

5. *La roche du diable* est une légende qui cherche à expliquer les marques que l'on trouve sur une roche à Saint-Lazare-de-Bellechasse. Fais une hypothèse sur l'intervention du diable sur cette fameuse roche.

La roche du diable

NICOLE GUILBAULT

Légende recueillie en 1998 par Julie Morin.
Informateur : Denis Laverdière, 55 ans, Saint-Lazare-de-Bellechasse.
Localisation : Saint-Lazare-de-Bellechasse (Chaudière-Appalaches).

C'est une légende qui a marqué la paroisse de Saint-Lazare. Les faits se sont passés dans les années 1820, un peu avant la fondation de Saint-Lazare dont le territoire faisait alors partie de la paroisse de Saint-Gervais. Tout le haut des terres, à partir de Saint-Gervais, était occupé soit par des concessions[1], soit par la paroisse de Saint-Gervais. Les événements ont eu lieu dans le quatrième **rang** de ce qui est aujourd'hui

1. Dans le contexte, qu'est-ce qu'un *rang* ?

1 Terre du domaine public cédée par le gouvernement à une personne.

Saint-Lazare, aux limites de Saint-Nérée, exactement à la dernière clôture qui sépare les deux paroisses.

Il faut dire qu'à cette époque, en 1820, les chemins étaient difficiles ; les seuls moyens de transport se limitaient à la marche ou à la *voiture à cheval* et les déplacements étaient très lents. C'était aussi une époque où les femmes, les mères surtout, allaient rarement à la messe parce qu'elles s'occupaient des enfants. Les distances étaient longues, les chemins *raboteux*, et l'église se trouvait à une heure de la maison. Les femmes avaient l'habitude de se mettre à genoux quand elles entendaient sonner le Sanctus[2], et de dire leur **chapelet**. Dans ce temps-là, elles ne pouvaient même pas écouter la messe à la radio ; elle n'existait pas.

2. Définis ce qu'est le *chapelet* ?

Un dimanche matin, entre le 15 et le 25 août, au moment où les fruits sauvages donnaient en abondance, dans cette région où les bleuets sont presque aussi beaux qu'au Lac-Saint-Jean, plus précisément aux limites de Saint-Nérée, une femme partit aux bleuets.

Le *rang* était alors habité par **des Therrien, des Comeau, des Leblond et des Talbot**. Je ne sais pas à quelle famille exactement

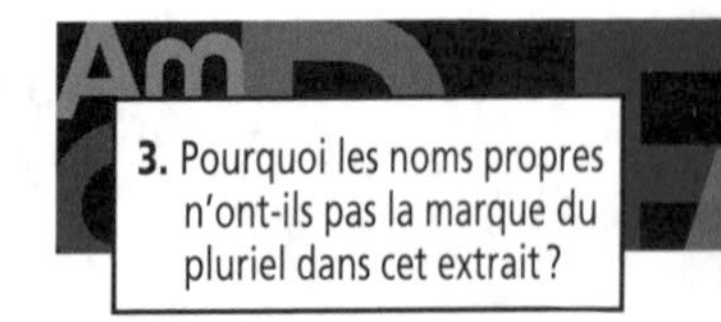

2 Le Sanctus est un moment de la messe où on faisait sonner les cloches de l'église.

appartenaient les deux femmes mais, pour clarifier les faits,
35 disons que l'une était une Therrien et l'autre une Comeau.

Sur le terrain de la famille Therrien poussaient des bleuets en quantité. De l'autre côté de leur clôture, la voisine, une dame Comeau, était aussi restée à la maison pour garder son bébé de quelques mois. Elle le transportait avec elle dans un
40 petit panier d'osier quand elle sortait de la maison. Elle avait décidé, ce dimanche-là, de profiter du fait que les hommes étaient partis pour aller cueillir des bleuets.

Il faut savoir également que, dans ce temps-là, le passe-temps préféré des gens, c'était les **chicanes** de voisins. Comme
45 il n'y avait pas de télévision, pas de radio, c'était désennuyant de se *chicaner* un peu. Ce n'était pas méchant, mais les gens avaient tendance à se tirailler pour toutes sortes de raisons, ce qui
50 a entraîné bien des procès pour des piquets de clôture. Et madame Comeau, comme madame Therrien, respectaient bien la tradition...

4. Remplace le mot *chicanes* par un mot d'un niveau de langue soutenu.

Ce dimanche-là, madame Comeau s'en va cueillir des bleuets de l'autre côté de leur clôture, du côté de madame
55 Therrien, avec son petit bébé dans son panier d'osier. Tout à coup, cette dernière l'aperçoit. Elle part et s'en va la rejoindre. La discussion a vite commencé :

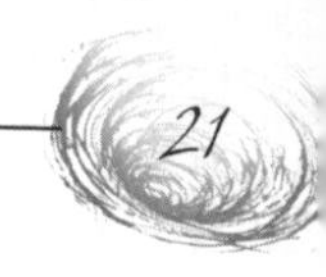

Madame Therrien : – Qu'est-ce que tu fais là ?
Madame Comeau : – Je suis venue cueillir des bleuets.
Madame Therrien : – Mais ils ne sont pas à toi, ces bleuets-là !
Madame Comeau : – Ils sont à moi autant qu'à toi, c'est des bleuets sauvages. C'est le Créateur[3] qui les a mis là.
Madame Therrien : – Aie ! C'est du vol, ça !
Madame Comeau : – Mais non ! Je ne suis pas une voleuse.
Madame Therrien : – Oui, tu es une maudite voleuse !

Elles commencent à **se crier des noms**. Il n'y a pas eu de coups, seulement des paroles. À la fin, madame Comeau lance à madame Therrien : « Si tu n'es pas contente, va donc chez le diable ! » Et madame Therrien lui réplique : « Je voudrais bien voir ça, moi, le diable qui viendrait nous déranger ici. »

5. L'expression *se crier des noms* est d'un niveau de langue familier. Remplace-la par une expression d'un niveau de langue soutenu.

En disant ces mots, elle voit apparaître quelque chose au bord du rocher, une **amanchure** qui n'était ni un animal ni un homme, qui n'avait pas quatre pattes, ni quatre mains, ni quatre bras, mais

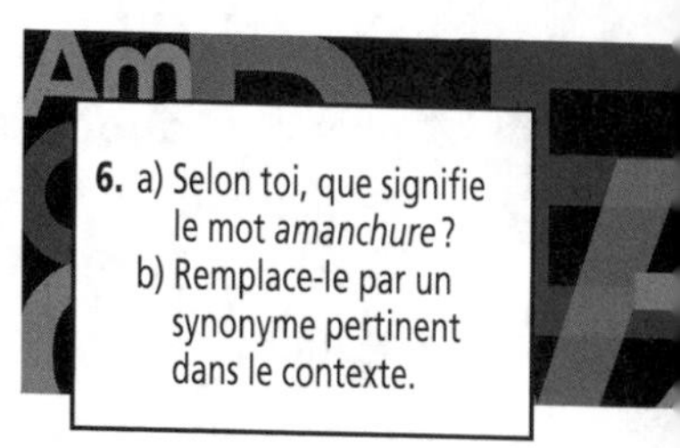

3 Les chrétiens donnent parfois le nom de *Créateur* à leur Dieu, qu'il considère être à l'origine de la création du monde.

qui avait tout de même quatre membres. Il ressemblait plus à un animal qu'à un homme. On aurait dit que c'était un animal qui parlait : « Vous **m'**avez appelé, mesdames ? »

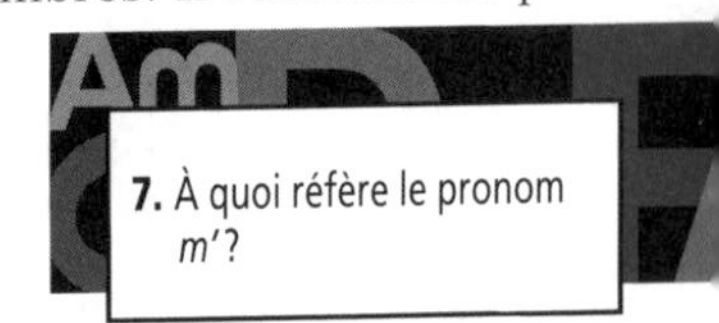
7. À quoi réfère le pronom *m'* ?

Les deux femmes étaient restées pétrifiées en le voyant.

Il répéta : « Vous m'avez appelé, mesdames ? Je suis là. Alors, venez-vous-en avec moi. Vous venez de vous donner à moi, je viens vous chercher. Surtout que c'est pendant la messe. »

Elles étaient toutes les deux figées de peur. Finalement, madame Comeau qui, au fond, était la cause de la querelle, dit à sa voisine : « Vite, viens-t'en ici ! On a peut-être mal agi, mais mon bébé est pur, lui, sans reproche, et le diable n'a pas d'emprise sur lui. Viens, on va s'accrocher au bébé et le diable ne pourra pas nous faire de mal. »

C'est ce qu'elles ont fait. Madame Therrien s'est jetée littéralement sur le bébé de madame Comeau et, toutes les deux, elles l'ont serré dans leurs bras. Comme le diable ne pouvait plus rien faire, il est devenu enragé. Il s'est mis à griffer le rocher et il y a laissé des marques. Elles sont encore visibles. Il est resté là un certain temps à maugréer, à gesticuler, à gratter le roc.

Lorsque les hommes sont revenus de la messe et qu'ils sont arrivés à quelques arpents de lui, il a disparu dans un élan en laissant en arrière de lui des nuages qui sentaient le soufre, et je ne dirai pas quoi d'autre.

Par la suite, les deux familles étaient tellement contentes
110 d'avoir vaincu le diable qu'elles se sont réconciliées et ont organisé une grande fête. Elles ont chanté et elles ont dansé, et elles ont composé un « ***reel*** » qu'elles ont nommé « Le *reel* du diable en maudit d'avoir *manqué*
115 *son coup.* »

8. Qu'est-ce qu'un *reel* ?

C'est devenu par la suite la chanson-thème du Festival de la galette à Saint-Lazare.

Nicole Guilbault (dir. publ.), *Fantastiques légendes du Québec : récits de l'ombre et du sombre*, Éditions ASTED, Montréal, 2001.

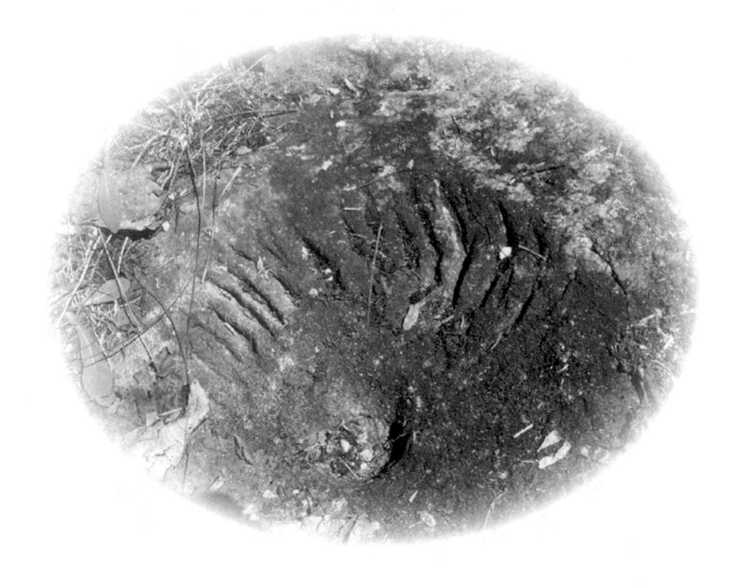

APRÈS LA LECTURE

1 a) En quelle année et à quel moment de l'année se déroulent les événements racontés ?
b) Outre l'année, relève trois éléments du texte qui révèlent que l'histoire se passe dans l'*ancien temps*.
c) Où se déroulent précisément les événements racontés ?

2 a) Pourquoi les gens devaient-ils obligatoirement assister à la messe du dimanche ? Quel effet cette pratique religieuse avait-elle sur les communautés ?
b) Pourquoi certaines femmes de cette époque n'étaient-elles pas obligées d'assister à la messe ?
c) Que faisaient-elles pour compenser leur absence à l'église ?

3 Relève le passage qui explique comment le conteur a décidé du nom des deux femmes. Pourquoi a-t-il fait cela ?

4 Récris le dialogue entre madame Therrien et madame Comeau (58 à 68) en ajoutant à la fin de chaque phrase un verbe et un adjectif ou un adverbe qui indiquent qu'on rapporte les paroles de quelqu'un et qui donnent de l'information sur son état d'esprit.

Par exemple : Qu'est-ce que tu fais là ? <u>demande sèchement madame Therrien.</u>

— *Je suis venue cueillir des bleuets,* ////////////////////////////////

— *Mais ils ne sont pas à toi, ces bleuets-là !* //////////////////////

— *Ils sont à moi, autant qu'à toi, c'est des bleuets sauvages. C'est le Créateur qui les a mis là,* ////////////////////////////////

— *Aie ! C'est du vol, ça !* //

— *Mais non ! Je ne suis pas une voleuse,* ////////////////////////////

— *Oui, tu es une maudite voleuse !* ///////////////////////////////////

5 a) Qu'est-ce qui permet au diable de dire : « Vous venez de vous donner à moi, je viens vous chercher » ? (lignes 90 et 91)

b) Pourquoi madame Comeau dit-elle que son bébé est pur et qu'il les protégera ?

c) Peut-on tirer une morale de cette légende ?

6 Après le dénouement de cette histoire, il y a une situation finale. Quels sont les événements qui composent cette situation finale ?

7 Dans cette légende, quels événements :

a) font partie du monde réel ?

b) font partie du monde fantastique ?

8 Par quel moyen le conteur tente-t-il de donner une crédibilité à son histoire ?

9 De quel type de narrateur s'agit-il : omniscient, témoin ou participant ? Quel est son rapport avec l'histoire ? Justifie ta réponse.

JEAN DE LA FONTAINE

Poète et conteur français, Jean de La Fontaine a vécu de 1621 à 1695. Étudiant peu studieux, La Fontaine entre au monastère en 1641. Il apprécie la tranquillité qui lui permet de s'adonner à la lecture de chefs-d'œuvre antiques, son passe-temps préféré. Il quitte le monastère et entreprend des études de droit, qu'il termine en 1649. Engagé comme maître des Eaux et Forêts en 1652, il se fait des amis à Paris à la cour du roi Louis XIV.

C'est alors que naît son talent de poète : il écrit d'abord de petits vers, des épîtres et des ballades, puis il traduit des pièces de théâtre. Il est élu à l'Académie française en 1684.

Il a écrit des contes et 240 fables qui feront sa renommée. Plusieurs prétendront que La Fontaine était un copieur puisque la plupart de ses fables sont des traductions ou des adaptations de celles d'Ésope, fabuliste grec ayant vécu aux 7e et 6e siècles avant Jésus-Christ.

Les fables de La Fontaine occupent une place importante dans le patrimoine littéraire français.

Du même auteur...

Pièce de théâtre
L'Eunuque (1654)

Lettres
Relation d'un Voyage de Paris en Limousin (1663)

Jean de La Fontaine, le défi, Daniel Vigne (2007)

À PROPOS DE *Les fables de La Fontaine*

Les deux fables suivantes sont racontées depuis presque trois siècles et demi. On peut s'attendre à ce qu'elles soient transmises encore pendant plusieurs centaines d'années d'une génération à l'autre.

La fable *Le lion et le rat* a touché les lecteurs de toutes les époques parce que sa morale fait l'éloge de l'entraide, une valeur qui a toujours été importante.

La fable *La poule aux œufs d'or* a aussi marqué les lecteurs de toutes les époques. Sa morale liée à l'épargne et à la richesse est encore citée dans les milieux d'affaires comme un principe fondamental d'économie.

Les lecteurs comprennent rapidement la portée de ces histoires irréelles, peuplées d'animaux qui parlent ou qui pondent des œufs en or. La fable, dans toutes ses exagérations, permet de caricaturer les humains et de grossir leurs bons et leurs mauvais côtés afin d'en tirer un enseignement.

POUR SE PRÉPARER À LA LECTURE

Après avoir lu les textes des pages précédentes, réponds aux questions suivantes.

1. Connais-tu déjà ces deux fables ? Si oui, résume leur contenu avant de les relire.

2. Connais-tu d'autres fables de La Fontaine ? Si oui, lesquelles ?

3. De nombreuses personnes connaissent par cœur des fables de La Fontaine parce qu'elles les ont apprises à l'école. À ton avis, pourquoi est-il facile d'apprendre par cœur une fable ?

4. Jette un coup d'œil à la présentation des fables. Quelles différences y a-t-il entre les fables et les autres textes du recueil ?

5. On dit que La Fontaine écrivait des fables moralistes. Qu'est-ce qu'un auteur *moraliste* ?

Le lion et le rat

JEAN DE LA FONTAINE

Il faut, autant qu'on peut, **obliger tout le monde**.

On a souvent besoin d'un plus
petit que soi.

De cette vérité deux fables
5 feront foi,

Tant la chose en preuves abonde.

Entre les pattes d'un lion

Un rat sortit de terre assez à l'étourdie.

Le roi des animaux, en cette occasion,

1. Par laquelle des expressions peut-on remplacer *obliger tout le monde* ?
- rendre service à tout le monde
- obliger tout le monde à travailler

10 Montra ce qu'il était, et lui donna la vie.

Ce bienfait ne fut pas perdu.

Quelqu'un aurait-il jamais cru

Qu'un lion d'un rat eût **affaire** ?

Cependant il advint qu'au sortir des forêts

15 Ce lion fut pris dans des **rets**

Dont ses rugissements ne le purent défaire.

Sire Rat accourut, et fit tant par ses dents

Qu'une maille rongée emporta tout l'ouvrage.

20 Patience et longueur de temps

Font plus que force ni que rage.

Jean de La Fontaine, 1668.

2. En tenant compte du contexte, remplace le mot *affaire*.

3. a) Cherche le sens du mot *rets* dans le dictionnaire et donnes-en la définition.
b) Quelle particularité orthographique remarques-tu ?
c) Remplace le mot *rets* par un synonyme.

APRÈS LA LECTURE

1 Pourquoi le rat s'empresse-t-il d'aider le lion à se défaire des rets ?

2 a) Quel personnage de la fable déploie force et rage et dans quelle circonstance ?
b) Quel personnage fait preuve de patience et dans quelle circonstance ?

3 a) Quels vers de la fin de la fable présentent la morale de cette histoire ?
b) Choisis parmi les énoncés suivants celui qui pourrait expliquer cette morale.
1. Lorsque l'on est confronté à une difficulté, il est inutile de s'énerver. Il faut au contraire faire preuve de patience et agir posément.
2. Lorsqu'on est confronté à une difficulté, il faut foncer les yeux fermés et se battre.
3. Il vaut mieux être fort que patient.

4 a) Une autre phrase de la fable pourrait servir de morale. Laquelle ?
b) Pourquoi ?
c) Est-ce que cette morale peut encore s'appliquer aujourd'hui ?
d) As-tu déjà vécu une situation qui t'a permis d'aider un adulte (d'être le rat qui aide le lion) ou est-ce qu'un plus jeune que toi t'a déjà apporté son aide (d'être le lion aidé par le rat) ? Sinon, connais-tu d'autres circonstances où cette morale pourrait s'appliquer ?

La poule aux œufs d'or

JEAN DE LA FONTAINE

L'Avarice[1] perd tout en voulant tout gagner.

Je ne veux, pour le **témoigner**,

Que celui[2] dont la poule, à ce que dit la fable,

5 Pondait tous les jours un œuf d'or.

1. Quel mot ne pourrait pas remplacer le verbe *témoigner* ?
- prouver
- démontrer
- nier

1 Avidité, cupidité.
2 « Celui » renvoie ici à l'homme propriétaire d'une poule qui pondait des œufs.

Il crut que dans son corps elle avait un trésor :

Il la tua, l'ouvrit et la trouva semblable

À celles dont les œufs ne lui rapportaient rien,

S'étant lui-même ôté le plus beau de son bien.

10 Belle leçon pour les gens **chiches** :

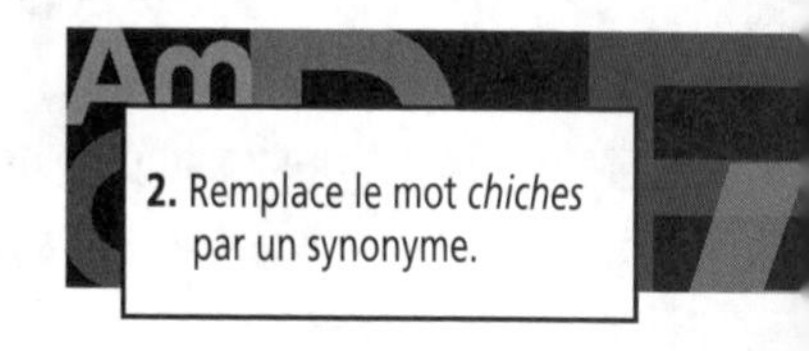

2. Remplace le mot *chiches* par un synonyme.

Pendant ces derniers temps, combien en a-t-on vus

Qui du soir au matin sont pauvres devenus

15 Pour vouloir trop tôt être riches !

Jean de La Fontaine, 1668.

APRÈS LA LECTURE

1 Que remplace le pronom *il* (ligne 6) ?

2 À l'aide du contenu de la fable *La poule aux œufs d'or,* explique sa morale : *L'Avarice perd tout en voulant tout gagner.*

3 Donne des exemples de personnes « *qui du soir au matin sont pauvres devenus pour vouloir trop tôt être riches* ». Explique comment cela peut se produire.

ÉTUDE COMPARATIVE

1 Dans ces fables, quel est le type de narrateur ? Pourquoi ?

2 Quel est l'élément merveilleux que l'on retrouve généralement dans les fables de La Fontaine ? Dans laquelle des deux fables que tu viens de lire le trouve-t-on ?

3 À quel type de texte associe-t-on la structure générale de ces fables ?

• narratif • descriptif • explicatif • poétique • argumentatif

Attention ! Plusieurs de ces réponses sont possibles. Justifie ta réponse.

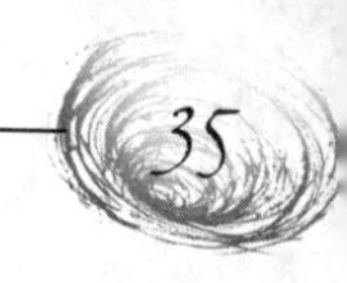

4 Généralement, quel est l'objectif de ces fables ?

5 Relève trois passages qui révèlent que ces fables sont écrites dans la langue littéraire du 17e siècle.

6 Trouve des vers dont les rimes s'enchaînent selon le modèle ABBA et ABAB.

7 En te fiant à la morale, à quelle fable associes-tu les situations suivantes ?

a) Un adolescent sans abri sauve un homme d'affaires de la noyade.
b) Un commerçant, voulant faire plus de profit, liquide sa marchandise à prix réduit.
c) À force de travail, un homme réussit à construire une maison.

8 Les fables sont moins populaires aujourd'hui pour transmettre aux enfants des valeurs, des règles de savoir-vivre ; qu'utilise-t-on en remplacement ?

CHARLES PERRAULT

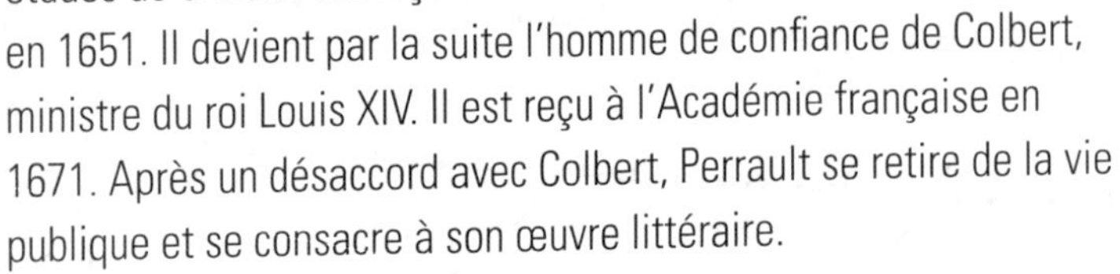

Né en 1628 et mort en 1703, Charles Perrault entreprend des études de droit et est reçu avocat en 1651. Il devient par la suite l'homme de confiance de Colbert, ministre du roi Louis XIV. Il est reçu à l'Académie française en 1671. Après un désaccord avec Colbert, Perrault se retire de la vie publique et se consacre à son œuvre littéraire.

Il est célèbre surtout pour ses *Contes de ma mère l'Oye,* parmi lesquels on trouve huit contes encore populaires aujourd'hui auprès des enfants comme *La Belle au bois dormant, Le Petit Chaperon rouge, Le Petit Poucet, Cendrillon* et *Barbe-Bleue.*

Sa grande œuvre est d'avoir recueilli et transcrit des contes issus de la tradition orale française.

Du même auteur…

Portrait de Bossuet (1698)

Mémoire de ma vie (1755 – posthume)

Cendrillon, dessin animé des studios Disney (1950)

Peau d'Âne, Jacques Demy (1970)

Le Petit Poucet, Olivier Dahan (2001)

À PROPOS DE Peau d'Âne

On entend parfois dire que « les contes, c'est pour les enfants... » Vraiment ? Les premières lignes de *Peau d'Âne* nous montrent que ces histoires anciennes ne sont pas aussi innocentes qu'on voudrait le croire : « Une fois, il y avait un roi qui eut une fille tellement belle qu'étant devenu veuf, il tomba amoureux d'elle et voulut l'épouser. »

Il y a dans ce début de conte un drame choquant. On y racontera l'histoire du pouvoir abusif qu'un père peut avoir sur sa propre fille. Les contes traditionnels, ceux de Perrault, de Hans Christian Anderson ou des frères Grimm, sous des apparences naïves, explorent souvent les côtés les plus sombres de l'être humain. L'aspect merveilleux de leurs histoires, avec l'intervention de fées, d'animaux qui parlent et d'objets qui s'animent, ajoute une touche de mystère et met en lumière ce qu'il y a parfois d'inexplicable dans les comportements humains.

POUR SE PRÉPARER À LA LECTURE

Après avoir lu les textes des pages précédentes, réponds aux questions suivantes.

1 Savais-tu qu'il existait d'autres versions de *Peau d'Âne*? Pourquoi, selon toi, existe-t-il de nombreuses versions d'un même conte?

2 Dès les premières lignes, on apprend l'intention du roi d'épouser sa propre fille. Crois-tu qu'il va parvenir à ses fins? Justifie ta prédiction.

3 Est-ce qu'on t'a déjà raconté d'autres contes traditionnels de Charles Perrault, cités dans la biographie? Décris les passages de ces contes que tu trouvais cruels ou excessifs.

4 Tu n'es pas sans savoir qu'Hollywood a repris de nombreux contes en dessins animés. Crois-tu que ces films ont conservé toute la cruauté et la violence que possédaient ces histoires à l'origine? Justifie ta réponse.

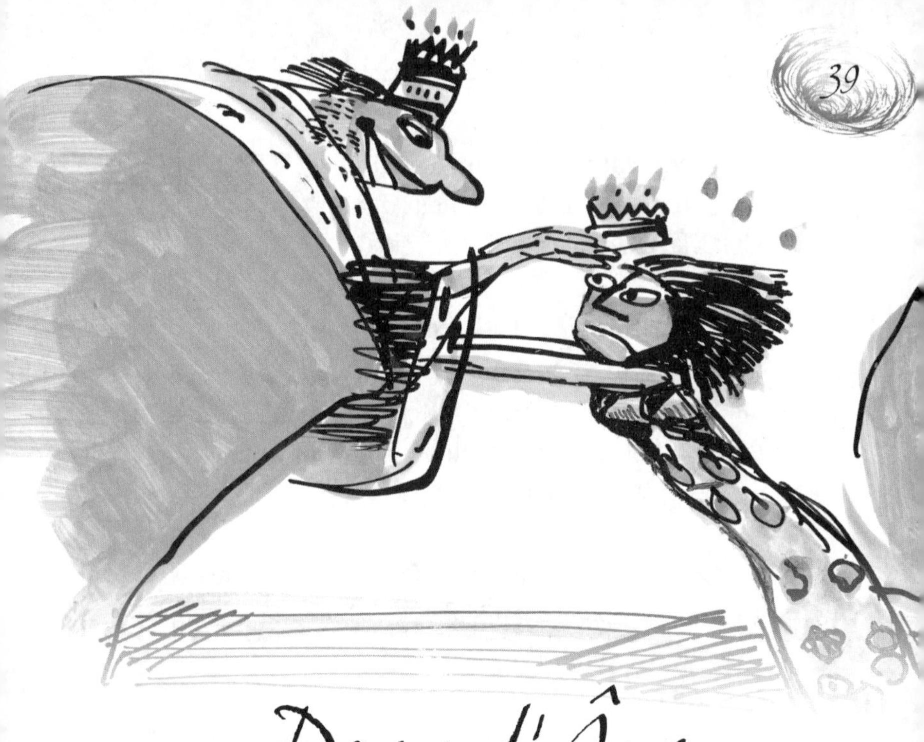

Peau d'Âne

CHARLES PERRAULT

Une fois il y avait un roi qui eut une fille tellement belle, qu'étant devenu veuf, il tomba amoureux d'elle et voulut l'épouser.

Pour qu'elle y consentît, il lui promettait chaque jour tout 5 ce qui lui passait par l'idée ; il lui disait que, quelle que fût la chose qu'elle demandât, il ne lui refuserait rien.

Comme il faisait peur à cette fille d'épouser son père, elle cherchait dans son esprit les choses les plus impossibles pour

l'en **détourner**. Elle lui demanda
10 d'abord une robe de la couleur du
ciel avec les étoiles.

1. Explique la formation du mot *détourner* et donnes-en le sens dans le contexte.
2. Trouve un synonyme au mot *peine* qui respecte le contexte.

Son père, qui voulait la contenter, ne savait comment faire. En employant cependant toute la
15 **peine** que l'on peut imaginer, il lui trouva une robe couleur de ciel et il la lui donna.

Quand sa fille eut cette robe, elle lui dit: « Si vous voulez que je vous épouse, il m'en faut maintenant une qui soit de la couleur de la lune. »

20 Son père chercha de nouveau dans toutes les villes, dans tous les magasins, et, à force de chercher, il lui en trouva une. Il la lui porta et lui dit: « Jamais donc tu ne me récompenseras de la peine que je prends pour toi ! »

Sa fille lui répondit: « Mon père, il y a encore une autre
25 chose que je voudrais avoir: il faut que vous m'achetiez une troisième robe qui soit couleur de soleil; donnez-la-moi, sinon je ne vous épouserai pas. »

Son père chercha de nouveau dans toutes les villes, afin de lui avoir une robe couleur de soleil. Il la trouva, à la fin,
30 et la lui donna en disant: « Il faut que dans huit jours nous soyons mariés. »

La fille prit cette robe et s'en alla dans sa chambre, mécontente comme on ne peut pas plus de voir que son père lui donnait tout ce qu'elle demandait, pour si difficile qu'elle
35 l'eût cru.

Quand elle fut dans sa chambre, elle se mit à pleurer en disant: « Oh! cela est-il possible et te faudra-t-il, toi, épouser ton père? Qu'est-ce que tu lui demanderas qu'il ne puisse te le donner? » De ce moment-là, elle ne fit plus que se désoler
40 la nuit et le jour.

Une nuit, cependant, il lui vint une idée: elle se souvint que son père avait un âne et qu'elle lui **avait ouï** dire qu'il ne le donnerait pas, lors même qu'il devrait lui en coûter la vie. Elle se résolut
45 de lui demander la peau de cet âne.

3. a) Quel est l'infinitif du verbe conjugué *avait ouï*?
b) Trouve un verbe synonyme.

4. Quel mot le pronom *l'* remplace-t-il?

Alors, et au moment où son père **l'**étant allé trouver dans sa chambre et lui ayant dit: « Eh bien! ma fille, es-tu décidée que nous nous mariions ces jours-ci? »

50 Elle lui répondit: « Non, mon père, parce que j'ai encore quelque chose à vous demander: il faut que vous me donniez la peau de votre âne que vous aimez tant. »

Son père lui dit: « Ce que tu dis là m'est bien fâcheux, ma fille, parce que j'avais porté mon amour sur cette bête; cependant, je t'ai toujours dit que je ne te refuserais rien. »
55

Aussitôt qu'il eut répondu cela, il fit écorcher l'âne et il lui en donna la peau.

En prenant cette peau, la fille se dit : « Ah ! pauvre, qu'est-ce que tu imagineras maintenant pour ne pas épouser ton père ? »

60 Comme elle ne savait plus que demander, elle se résolut dans la nuit de prendre ses robes, avec sa peau d'âne, et de s'en aller.

En cheminant, elle rencontra une fée qui s'était trouvée à son baptême et qui lui demanda où elle allait si tard.

65 Après qu'elle lui eut raconté ses peines, la fée lui donna une bague et lui dit que, par le moyen de cette bague, tout ce qu'elle pourrait désirer lui serait accompli.

Alors, la fée l'ayant quittée, elle mit la peau sur ses épaules pour lui servir de vêtement, et elle continua son chemin.

Peau d'Âne est maintenant en possession d'un objet qui pourrait lui permettre d'avoir une vie plus agréable. Imagine des souhaits que la bague pourrait lui permettre de réaliser et vérifie tes hypothèses en lisant la suite du texte.

70 Au bout de quelque temps, elle arriva à un château et demanda à ceux qui y étaient s'ils ne la voulaient pas louer pour bergère.

Ces gens-là, en la voyant dans sa peau, ne surent plus que lui répondre : « Par Di[1], lui dirent-ils, quand ce ne serait que ton
75 vêtement, tu ne peux guère en faire davantage. » Ils la prirent cependant et lui firent garder les agneaux du château.

Un jour, en promenant son troupeau, elle alla s'enfermer dans un petit ***mas*** et elle y posa sa peau d'âne ; elle mit sa robe cou-
80 leur de ciel, et elle prenait plaisir à se regarder devant son miroir.

5. Cherche dans le dictionnaire le sens du mot *mas*. Quelle information cette définition te donne-t-elle sur le pays où se déroule l'action ?

À ce moment-là, le fils du roi, qui passait par là, fut curieux d'aller voir le petit *mas* où elle s'était enfermée.

1 Autre forme de l'interjection *pardi*, une abréviation de *pardieu*, qui exprime l'affirmation, l'évidence.

85 Il épie par le trou de la serrure et il voit une demoiselle tellement belle, que sur-le-champ il en devint amoureux.

Il s'en alla au château et dit à ceux qui y étaient : « Qui est cette demoiselle qui est enfermée dans votre petit *mas* ? »

Ils lui répondirent : « Peut-être voulez-vous rire ! C'est une
90 vagabonde que nous avons louée pour bergère et qui est toujours pliée dans sa peau. »

Le *monsieur* leur dit que cela n'était pas possible et qu'il avait vu, lui, une belle demoiselle. On lui assura qu'il s'était trompé et qu'il ferait bien de retourner au *mas*, afin de la
95 voir mieux. Il y retourna, mais il ne la vit pas, parce qu'elle était partie.

Cela lui fit mal. Quand il revint à son château, il en tomba malade.

Ses parents, qui ne pouvaient savoir ce qu'il avait, allè-
100 rent chercher le médecin. Le médecin leur dit que le meilleur remède serait de le marier.

Le fils du roi répondit qu'il ne se marierait qu'après avoir mangé un gâteau fait par la bergère que l'on appelait Peau d'Âne.

105 Sa mère se fit alors indiquer le château où il l'avait vue, et, lorsqu'elle s'y fut rendue, elle la demanda aux gens du château.

Tous éclatèrent de rire en voyant que la reine était venue chercher une fille tellement sale pour faire un gâteau à son fils. Elle, cependant, le lui promit.

110 Elle s'en va alors au petit *mas* où elle s'enfermait ; elle laisse sa peau pour la robe couleur de lune et pétrit son gâteau.

Lorsqu'elle l'eut pétri, elle mit dedans la bague que lui avait donnée la fée, et l'envoya au fils du roi. Tout le monde fut étonné de voir un gâteau aussi beau.

115 Aussitôt que le fils du roi l'eut goûté, il fut guéri. Au même moment, il trouva dedans la bague que Peau d'Âne y avait mise.

Alors il dit que, quelle que fût celle à qui la bague irait, il l'épouserait et la ferait reine.

On envoya au château toutes les jeunes filles du pays et de 120 l'environ, afin de connaître celle à qui irait la bague.

À une, elle était trop grande ; à une autre, trop petite ; de telle sorte que le fils du roi demandait toujours Peau d'Âne pour l'avoir vue si belle.

Sa mère, pour l'avoir vue si laide, au contraire, ne voulait 125 pas que seulement elle entrât dans son château.

Comme son fils lui dit qu'il n'y avait plus d'autres jeunes filles que Peau d'Âne pour essayer la bague, on l'envoya

chercher. Elle vint pliée dans sa peau. Tout le monde, en la voyant arriver, se mit à rire.

130 Elle demanda à entrer dans une chambre pour s'y habiller. Au bout d'un moment, elle en sortit vêtue en princesse, comme au château de son père ; elle portait la robe couleur de soleil.

Aussitôt qu'on lui eut mis la bague au doigt, elle lui alla on ne peut mieux. Ce fut elle qui gagna le fils du roi.

135 On envoya cette nouvelle à son père, qui arriva quelques jours après, et on les maria.

Le coq chanta

Et la **sornette** finit.

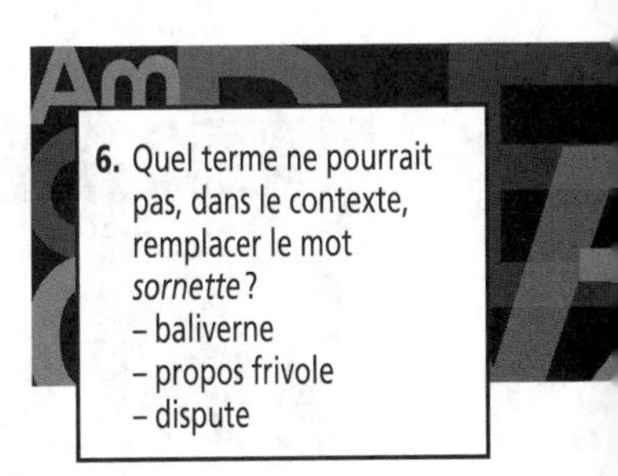

6. Quel terme ne pourrait pas, dans le contexte, remplacer le mot *sornette* ?
- baliverne
- propos frivole
- dispute

Charles Perrault, « Peau d'Âne », dans Annie Collognat et Marie-Charlotte Delmas, *Les contes de Perrault dans tous leurs états*, Omnibus, 2007.

APRÈS LA LECTURE

1 a) Qui est le personnage principal de ce conte ?

b) Pour chacun des personnages suivants, précise s'il s'agit d'un allié ou d'un opposant du personnage principal et explique ta réponse.

1. Le roi :
2. La fée :
3. Les gens qui la louent comme bergère :

c) Quel personnage représente l'élément merveilleux de ce conte ? En quoi son action rend-elle invraisemblables les événements racontés ?

2 Quel fait du premier paragraphe est immoral ? Justifie ta réponse.

3 Reproduis le tableau suivant et remplis-le afin de faire ressortir les ressemblances entre les contes traditionnels *Peau d'Âne* et *Cendrillon*.

	Cendrillon	Peau d'Âne
L'héroïne persécutée	Par sa marâtre et ses sœurs	Par //////////////////////////////
L'aide magique	La fée marraine qui lui permet d'aller au bal	Une fée qui ///////////////////
La rencontre avec le prince		
La révélation de l'identité de l'héroïne	Par l'épreuve du soulier	Par l'épreuve de //////////////
Le mariage		

4 Choisis dans l'encadré l'étape du schéma narratif qui convient aux énoncés et replace les étapes dans le bon ordre.

• situation initiale • élément déclencheur • déroulement de l'action (péripéties) • dénouement • situation finale

a) Le prince et Peau d'Âne se marient.

b) Le roi veut épouser sa fille.

c) La fille demande des robes couleur de ciel, puis couleur de lune et enfin couleur de soleil, que son père parvient à trouver.

d) Désespérée, la fille demande la peau de l'âne que chérit son père, et celui-ci la lui donne.

e) La fille s'enfuit portant la peau de l'âne.

f) La fille rencontre une fée qui lui donne une bague magique.

g) La fille cherche par tous les moyens à éviter le mariage avec son père.

h) Elle se fait engager comme bergère par les gens d'un château ; et, un jour, alors qu'elle est dans un mas, un prince l'aperçoit dans sa robe couleur de ciel.

i) Le prince tombe amoureux de Peau d'Âne et veut l'épouser.

j) Il fait la preuve que la bague appartient à Peau d'Âne.

k) Il épousera la fille à qui la bague qu'il a trouvée dans le gâteau entrera parfaitement au doigt.

5 À l'aide des renseignements fournis dans le texte, précise le caractère :

a) de Peau d'Âne :

b) du prince :

6 Le conte de Perrault contient des phrases formulées dans un style littéraire ancien. Récris les phrases suivantes dans un style littéraire plus près de celui que nous utilisons. Par exemple : *Comme il faisait peur à cette fille d'épouser son père...* (ligne 7). Comme cette fille avait peur d'épouser son père...

a) *La fille prit cette robe et s'en alla dans sa chambre, mécontente comme on ne peut pas plus de voir que son père lui donnait tout ce qu'elle demandait, pour si difficile qu'elle l'eût cru.* (lignes 32 à 35)
b) [...] *par le moyen de cette bague, tout ce qu'elle pourrait désirer lui serait accompli.* (lignes 66 et 67)
c) [...] *s'ils ne la voulaient pas louer pour bergère.* (lignes 71 et 72)

7 Dans les extraits suivants, précise qui parle et à qui s'adresse ce personnage.

a) « Oh ! cela est-il possible et te faudra-t-il, toi, épouser ton père ? » (lignes 37 et 38)
b) « Eh bien ! ma fille, es-tu décidée que nous nous mariions ces jours-ci ? » (lignes 48 et 49)
c) « Ah ! pauvre, qu'est-ce que tu imagineras maintenant pour ne pas épouser ton père ? » (lignes 58 et 59)
d) « Par Di, lui dirent-ils, quand ce ne serait que ton vêtement, tu ne peux guère en faire davantage. » (lignes 74 et 75)
e) « Qui est cette demoiselle qui est enfermée dans votre petit mas ? » (lignes 87 et 88)

8 Relève dans le conte cinq marques de temps qui servent à organiser le récit.

9 Dans ce conte, nous sommes en présence d'un narrateur omniscient qui sait tout et qui voit tout, y compris les pensées des personnages. Dans les lignes 36 à 45, trouve un passage qui montre que le narrateur peut lire dans les pensées de la jeune fille.

10 a) Quelle formule l'auteur emploie-t-il à la fin du conte ?
b) Selon toi, pourquoi utilise-t-il cette formule ?

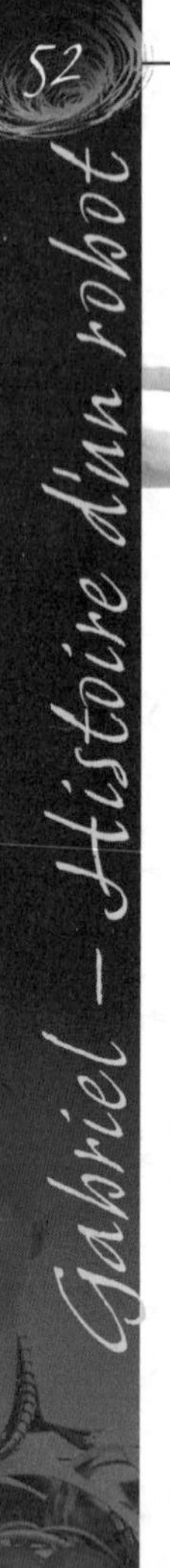

DOMINGO SANTOS

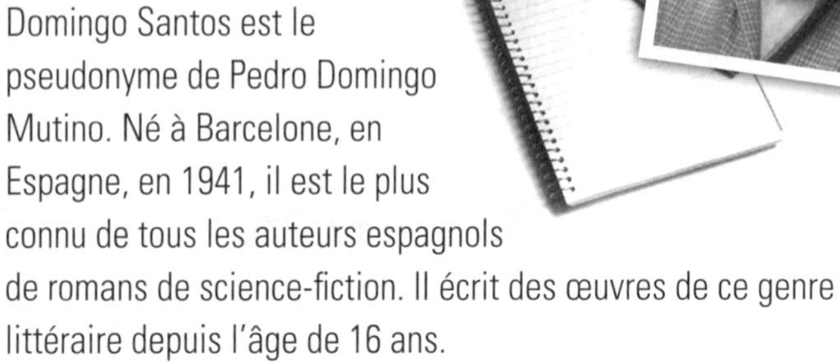

Domingo Santos est le pseudonyme de Pedro Domingo Mutino. Né à Barcelone, en Espagne, en 1941, il est le plus connu de tous les auteurs espagnols de romans de science-fiction. Il écrit des œuvres de ce genre littéraire depuis l'âge de 16 ans.

Il a publié son premier roman à 18 ans. Depuis, outre le métier d'écrivain, il a exercé les métiers d'éditeur, de directeur de collection, de traducteur, toujours dans le domaine de la science-fiction. Il a aussi joué un rôle important en tant qu'éditeur de la revue *Nueva Dimension* (Nouvelle Dimension). Il a écrit plus d'une vingtaine de romans et plusieurs nouvelles, dont *Gabriel – Histoire d'un robot*, publié en 1962 et traduit en plusieurs langues. Le prix Domingo Santos récompense les œuvres de science-fiction espagnoles.

Du même auteur…

La seule nouvelle traduite en français est *Gabriel – Histoire d'un robot* (1985). Les titres ci-dessous sont en espagnol.

Volveré ayer (1962)

Civilización (1964)

El visitante (1965)

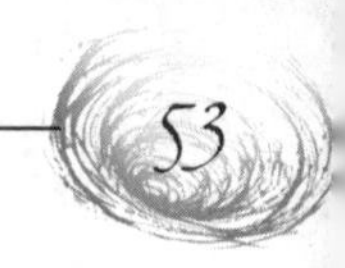

À PROPOS DE *Gabriel – Histoire d'un robot*

Qu'est-ce qu'une histoire de science-fiction avec un robot peut bien faire dans un recueil de textes remplis de contes, de mythes et de légendes ?

La science-fiction est un genre qui a connu son apogée dans les années 1950, au moment où les développements technologiques s'accéléraient. La miniaturisation des transistors, le développement du nucléaire, les avancées en astronautique, la maîtrise de la microbiologie et de la génétique ont marqué un tournant dans l'histoire : les connaissances liées à l'infiniment petit et à l'infiniment grand ont alors fait un bond gigantesque. Toutes ces nouvelles connaissances ont amené l'être humain à s'interroger sur le bien-fondé de ces découvertes, mais aussi à s'inquiéter de ce que pourrait lui réserver le futur.

Des écrivains se sont intéressés à cette « magie », qu'on appelle la science. L'imagination des auteurs de science-fiction n'est pas sans rappeler celle des conteurs, qui ont créé de toutes pièces des royaumes, avec des êtres fabuleux et des objets qui s'animent. Beaucoup d'auteurs de science-fiction imitent les conteurs traditionnels en se servant de leurs œuvres pour passer un message (une morale) aux lecteurs.

POUR SE PRÉPARER À LA LECTURE

Après avoir lu les textes des pages précédentes, réponds aux questions suivantes.

1. À quoi servent les robots d'aujourd'hui ? À quoi ressemblent ces machines ? Ont-elles une apparence humaine comme c'est souvent le cas pour les robots dans les œuvres de science-fiction ?

2. Pourquoi les robots sont-ils parfois vus de façon positive ?

3. Pourquoi les robots sont-ils parfois vus de façon négative ?

4. À ton avis, quelle sera la place des robots dans notre société dans 10 ans ? Fais quelques prédictions.

5. Le texte suivant nous plongera dans l'avenir, ce qui est le propre de la plupart des textes de science-fiction. Quand tu penses à l'avenir, es-tu plutôt optimiste ou plutôt pessimiste ? Justifie ta réponse.

Gabriel – Histoire d'un robot

DOMINGO SANTOS

Tanger, située au confluent de deux mers, face au détroit de Gibraltar, avait été depuis toujours le paradis du trafic et de l'illégalité. Cité **cosmopolite**, plus de dix langues, c'était la cité du jeu, du plaisir, du commerce illégal. Celui qui recherchait quelque chose en dehors de la légalité savait qu'il le trouverait. Sans aucun doute.

1. Décris la formation du mot *cosmopolite* et donnes-en le sens.
2. Trouve dans le 1er paragraphe 3 mots de même famille et complète la liste par 3 autres mots.

10 Gabriel s'arrêta en face d'une boutique. En haut de la porte, une pancarte mobile annonçait ce qu'on vendait. Robots, masques pour robots, accessoires, pièces de réserve, robots de tous modèles, masques pour robots, accessoires pour robots... et ainsi interminablement, sans fin. Dans la voiture, un robot, un 15 modèle simple de robot **propagande**, s'arrachait un bras et se l'ajustait de nouveau, il enlevait son masque **facial** et se l'ajustait à nouveau, il ouvrait sa petite ouverture d'observation **pectorale** 20 et se dépouillait d'une valvule, pour la remettre, etc.

3. Que signifie *faire de la propagande* ?

4. Quels noms sont à l'origine des adjectifs *facial* et *pectoral* ?

Gabriel pénétra dans la boutique. Celui qui l'avait conduit jusqu'à Tanger la lui avait recommandée. Un robot vendeur, marchant lourdement, s'approcha :

25 – Que désire Monsieur ? En quoi puis-je vous servir ?

– Je voudrais parler au patron.

Les circuits du robot vendeur étaient très lents, c'était un modèle très ancien. Il mit quelque temps à répondre.

– Je peux vous satisfaire moi-même, Monsieur, j'en 30 suis très capable. Que désirez-vous, Monsieur, en quoi puis-je vous servir ?

– Je veux voir le patron. C'est pour une affaire spéciale.

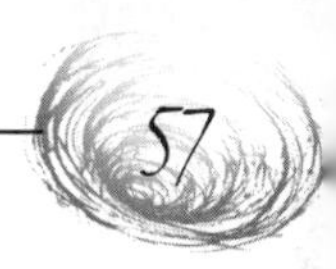

– D'accord, Monsieur, attendez un moment, Monsieur. Je vais prévenir le patron, Monsieur, merci Monsieur.

Le robot s'éloigna sur des jambes branlantes, qui donnaient l'impression de vouloir céder à tout instant. Il disparut par une porte située dans le fond de la boutique.

Gabriel examina les alentours. Sur les murs, dans les vitrines, étaient exposés des masques faciaux. Dans un autre endroit, d'autres accessoires, valvules, sélecteurs, tubes de quart. Au fond une pancarte automatique, peu lumineuse, indiquait POUR TOUS ROBOTS. Le comptoir était semblable à un lit d'observation pour robots quoique fixé au sol. [...] Par la porte du fond apparut un petit homme, mince, d'un âge indéfini. Il portait des vieilles lunettes, sans doute était-il myope. Il leva la tête pour regarder attentivement Gabriel.

– Mon robot m'a dit que vous désiriez me parler personnellement. En quoi puis-je vous servir ?

– J'aurais besoin que vous confectionniez un masque spécial pour robot.

L'homme hésita quelques instants.

– Oui un masque. Avec plaisir. Rien ne vous satisfait dans les modèles exposés ? Je tiens à vous dire que nous en avons quelques-uns très intéressants.

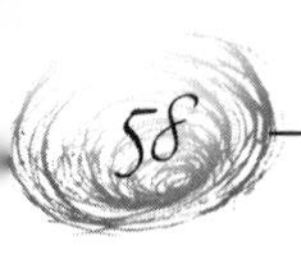

L'énigme de ce texte réside dans l'identité de Gabriel. Fais des hypothèses sur le mystère qui entoure ce personnage. Donne des indices qui indiquent s'il s'agit d'un robot ou d'un homme.

55 – Non, j'ai besoin de quelque chose de spécial.

– Ah ! je comprends, un visage spécial. Non ? Peut-être celui de la femme que vous aimez. Ah ! ces hommes ! Quel type de robot possédez-vous ? Quelle sorte de masque spécial ? Combien de mouvements musculaires a-t-il ? Dix, douze ?

60 – Plus, beaucoup plus. C'est un type spécial. Il doit avoir tous les mouvements musculaires d'un visage humain.

L'homme hésita. « Ah bon ! Mais en réalité je... Ne me dites pas que c'est pour un robot, n'est-ce pas ? »

Gabriel attendait cette question, il était prévenu.

65 – Non, dit-il, en réalité, ce n'est pas un robot. C'est une tête parlante, et je veux que vous puissiez réaliser tous les mouvements de la tête humaine.

– Cela sera difficile, Monsieur, c'est difficile à réaliser. Il y a de grosses difficultés.

70 – Ne vous préoccupez pas de l'étude ni de la réalisation des plans. Les voici.

Il lui remit les papiers qu'il avait à la main. L'homme les regarda, observant les indications et les diagrammes. Il siffla tout bas.

75 – Vous avez fait un bon travail, Monsieur, un gros travail.

– Je sais.

Gabriel avait copié ce qu'il possédait gravé dans son esprit, ce travail lui avait pris une demi-heure.

– J'en ai besoin aujourd'hui même. Je veux que vous me
80 fabriquiez quatre masques sans traits accusés, naturellement. Je me chargerai de donner les dernières touches à cette physionomie.

L'homme se raidit :

– Je regrette, je ne peux pas vous le faire, c'est interdit, vous devez le savoir.

– Allons, ne vous effrayez pas. Michel, le transporteur, m'a recommandé très chaudement à vous, n'allez pas le décevoir.

– C'est que...

– Ne vous faites aucun souci, il n'est pas question de faire mauvais usage de ces masques. En réalité, je les veux pour faire une farce à mes amis. Je pense copier leurs traits et les transposer sur cette tête. Alors, vous me comprenez, n'est-ce pas ?

L'homme fit signe que oui. En réalité il ne comprenait pas tellement. Mais il était commerçant. Si l'homme voulait des masques sans traits. Après tout... lui !

– Si c'est ainsi, je ne vois pas d'inconvénient. Ce sera prêt cette nuit même. Quoique j'aie beaucoup de travail, ce sont des masques très compliqués, cela va vous coûter cher.

– 1 500 universels[1] chaque masque, ça va ?

L'homme avala sa salive. Il n'aurait pas osé demander plus de 300.

1 Nom de l'unité monétaire dans l'univers créé par Domingo Santos.

– Oui très bien, très bien, ce sera prêt cette nuit. Bonsoir Monsieur, à vos ordres Monsieur.

À Tanger se trouvaient de nombreux hôtels discrets, où l'on pouvait résider longtemps complètement inaperçu. Gabriel en choisit un dans la vieille ville. Il loua une chambre où il apporta deux valises, du linge et divers ustensiles et s'y installa. Cette nuit-là avec ses quatre masques il s'y enferma. Toute la nuit il travailla sans trêve.

En premier lieu, il s'occupa des masques. Il en prit un et se servant des appareils qu'il avait achetés dans l'après-midi il se modela un visage. C'était un visage banal, qui passerait incognito partout. Quand il eut fini, il passa par l'intérieur les connexions électroniques qui faisaient le tour des muscles faciaux. Il enleva son masque primitif et se mit le nouveau. Une connexion dans la joue gauche était quelque peu décentrée. Il enleva le masque et en rectifia la position. Il le remit et fit les essais. Il fit une série de **mimiques** violentes pour éprouver la résistance. Parfait. Tout allait bien. Le fabricant avait été consciencieux. Il conserva les trois autres masques dans le double compartiment d'une des valises, et jeta ce qui lui était inutile dans le vide-ordures. Personne ne pouvait le reconnaître à cause de son visage. Il était un autre.

5. Remplace le mot *mimiques* par un synonyme qui convient au contexte.

Il s'assit et sortit deux autres instruments. Tous les hommes, en plus des papiers d'identité, portaient tatoués, sur le bras gauche, des numéros matricules correspondant à leur naissance. Les robots, au contraire, avaient, tatoué, un grand R. 130 Il souleva sa manche et laissa à découvert la lettre. Il la regarda quelques instants. Il prit un des instruments.

Après un assez long travail, le R avait disparu de son bras.

Alors, avec un second instrument, il commença la seconde partie de l'opération. Ce fut un travail parfait. Les robots font 135 toujours du parfait travail. Quelques heures après le début de l'opération apparaissaient sur son bras les numéros matricules du registre SM.23972. Ceux qui indiqueraient par la suite sa nature humaine qui ferait place à sa nature de robot.

Il garda les instruments qu'il avait utilisés et nettoya la 140 pièce. Dehors il commençait à faire jour. Il échangea ses vêtements contre d'autres acquis en même temps que le reste et les jeta dans le vide-ordures. Il donna les dernières touches à sa silhouette et se regarda dans le miroir de la chambre.

Oui, la **métamorphose** avait 145 été complète. Personne ne reconnaîtrait en lui le robot, né quelques jours avant à l'usine. Pour tous, il serait un homme. Il ne lui fallait plus qu'obtenir les papiers nécessaires. Mais ce n'était pas un obstacle. Il savait comment 150 et où il les obtiendrait. Il ouvrit la porte et sortit.

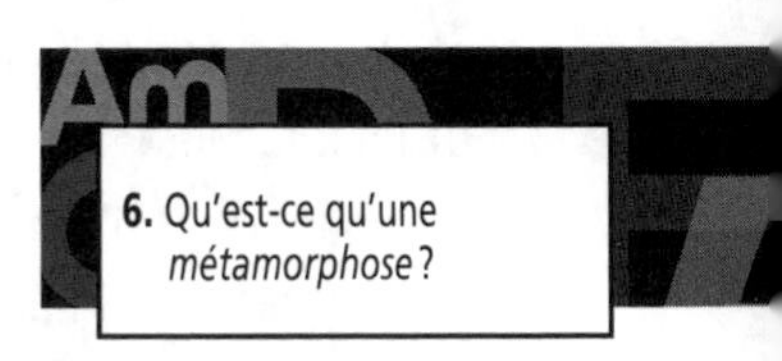
6. Qu'est-ce qu'une *métamorphose* ?

Domingo Santos, *Gabriel – Histoire d'un robot*, traduit de l'espagnol par Denyse Duval-Pantiez, Éditions Denoël, 1985.

APRÈS LA LECTURE

1 Ce texte est un récit de science-fiction, c'est-à-dire un récit qui se déroule dans un monde futur. Relève les indices qui le prouvent.

2 Dans les lignes 47 à 103, le patron de la boutique s'adresse à Gabriel en pensant avoir affaire à un être humain. Quels sont les indices qui le conduisent à cette déduction ?

3 Choisis dans l'encadré le type de séquence utilisé par l'auteur pour raconter l'histoire et relève les indices grammaticaux (temps des verbes, ponctuation) qui justifient ton choix.

• descriptive • narrative • dialoguée • explicative

a) Pour présenter l'univers narratif (lignes 1 à 21) :
b) Pour raconter la rencontre entre le marchand et Gabriel (lignes 47 à 103) :
c) Pour raconter le travail de transformation de Gabriel (lignes 110 à 143) :
d) Pour présenter le dénouement de son récit (lignes 134 à 143) :

4 Dans le 2e paragraphe (lignes 10 à 21), on parle d'un robot propagande. De quoi ce robot fait-il la propagande ? Comment la fait-il ?

5 Trouve un passage qui laisse croire que le patron de la boutique de robots est un humain. Justifie ton choix.

6 Pourquoi, selon toi, est-il illégal de fabriquer un masque de robot possédant tous les mouvements musculaires d'un être humain ?

7 L'auteur a fait le portrait du robot vendeur. À partir de sa description, tu peux imaginer un personnage humain. Comment serait-il ?

8 Dans le dernier paragraphe (lignes 144 à 150) :

a) comment l'auteur dit-il que Gabriel est jeune ?
b) quelle réflexion fait Gabriel que tout jeune être humain pourrait faire ?

9 Pourquoi penses-tu que Gabriel veut se faire passer pour un être humain ?

10 À quelle histoire merveilleuse très connue te fait penser ce texte ? Justifie la comparaison.

11 Quelle morale peut-on tirer de l'histoire de Gabriel ?

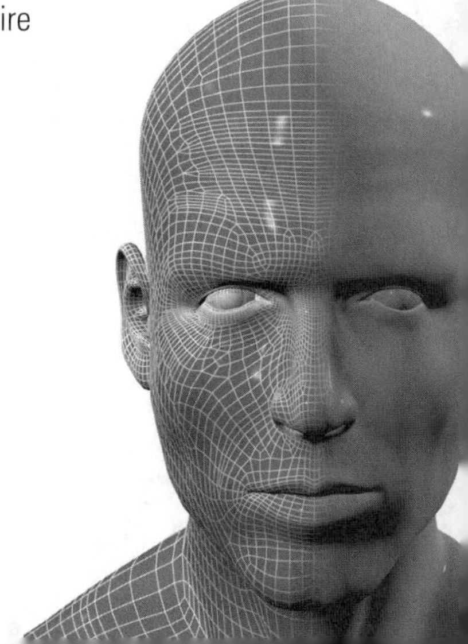

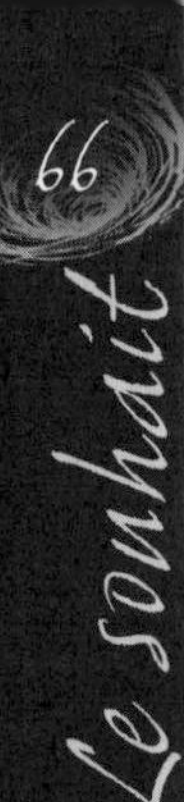

NATALIE BABBITT

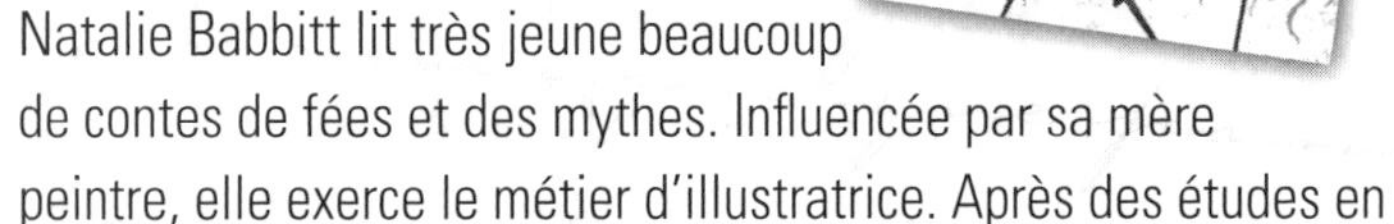

Auteure américaine née en 1932, Natalie Babbitt lit très jeune beaucoup de contes de fées et des mythes. Influencée par sa mère peintre, elle exerce le métier d'illustratrice. Après des études en arts graphiques, en 1966, elle illustre un premier livre, écrit par son mari, Samuel Babbitt. Elle poursuit ensuite sa carrière comme auteure, métier qu'elle combine à celui d'illustratrice. Elle écrit donc et illustre elle-même la plupart de ses histoires.

De la même auteure…

Les yeux de l'amaryllis (1986)
La source enchantée (1987)

Immortels, Jay Russell (2004), d'après le roman de Natalie Babbitt *Tuck Everlasting* paru en 2002

À PROPOS DE *Le souhait*

Le diable est un personnage universel, qu'on trouve dans plusieurs cultures très anciennes. Il incarne le mal et prend diverses formes et différents noms, selon les cultures.

Le diable est un charmeur. Il tente de séduire les êtres humains, pour leur faire choisir le côté sombre du monde et pour s'emparer de leur âme. Tu connais certainement des histoires de pactes avec le diable. Certaines d'entre elles dépassent parfois le cadre de la fiction pour essayer de prendre pied dans la réalité... On raconte que le musicien de blues Robert Johnson, né en 1911, avait vendu son âme au diable pour jouer aussi merveilleusement de la guitare. Sa mort est survenue alors qu'il n'avait que 27 ans, ce qui a contribué à alimenter la légende quant à ses liens avec le diable...

Dans *Le souhait,* on fera la rencontre de personnages capables de résister aux promesses du diable. Seul un pauvre garçon succombera au diable, qui s'avèrera ne pas être très honnête. Cela n'étonne pas !

POUR SE PRÉPARER À LA LECTURE

Après avoir lu les textes des pages précédentes, réponds aux questions suivantes.

1 Quels sont les différents noms que l'on attribue au diable ?

2 Quelle image se fait-on du diable ? Décris physiquement ce personnage tel qu'il est souvent représenté dans les contes ou les légendes.

3 Selon toi, le diable est-il un homme ou une femme ? Justifie ta réponse.

4 Dans l'histoire qu'on te présente, les personnages doivent faire un souhait. Si tu avais à faire un seul souhait dans ta vie, quel serait-il ?

5 Nomme d'autres œuvres où l'on présente le personnage du diable.

6 Dans les contes fantastiques, le diable a des pouvoirs spéciaux. Identifie quelques-uns de ses pouvoirs et dis dans quel but il pourrait les utiliser.

Le souhait

NATALIE BABBITT

Un jour qu'il s'ennuyait au fond de son Enfer, le Diable alla fouiller dans son sac à **malices**. Il se changea en marraine-fée et vint faire un tour sur cette terre, bien décidé à s'y trouver quelque pauvre âme à tourmenter. Il s'en-
5 gagea, tout guilleret, sur le premier chemin venu et tomba sur une paysanne qui cheminait clopin-clopant, un fagot de sarments[1] sur le dos.

1. Dirais-tu que, dans ce contexte, le mot *malice* signifie « plaisanterie » ou « méchanceté » ?

1 Tige de vigne longue et frêle.

10 – Bien le bonjour, ma bonne dame, dit-il de sa voix la plus **suave** – sa voix de marraine-fée. Quelle belle journée nous avons là ! Beau temps pour la saison, n'est-ce pas ?

– Ah, vous trouvez ? rétorqua l'autre, une **ronchon** comme pas 15 deux. Y a plus de beau temps, y a plus de saisons. Une belle journée ? Voilà tantôt vingt ans qu'on n'aura pas vu une seule belle journée sur ce pauvre monde.

2. Cherche le sens du mot *suave* dans le dictionnaire et donnes-en la définition.

3. Quel est le verbe de même famille que *ronchon* ? Que signifie ce verbe ?

20 – Tant que ça ?

– Au moins.

Idéal ! se dit le Diable qui avait l'intention, justement, de mettre au supplice les pauvres gens en leur promettant d'exau- 25 cer un de leurs **souhaits**. C'était l'occasion ou jamais.

4. Trouve dans le texte un synonyme du mot *souhait*.

– Tenez donc, ma bonne dame, dit-il à la paysanne. Je vais vous rendre le sourire, moi. Faites un vœu – n'importe lequel –, je l'exaucerai.

30 – Un vœu ?

– Oui. Un.

– Parfait, dit la paysanne. Le voici. Attendu que les marraines-fées, je n'y ai jamais cru et je n'y croirai jamais, je ne souhaite qu'une chose : retournez là d'où vous venez, et fichez-moi la paix.

Le Diable ne s'attendait pas à celle-là. Il fut pris au dépourvu. Il n'avait pas eu le temps de dire **ouf** que **plaf** ! en moins de deux, un peu rudement, il se retrouvait assis sur son trône, en son palais infernal.

Il se releva, ulcéré, **le poil en rince-bouteilles**.

– Ah ! celle-là, elle va me le payer... Mais baste ! Je l'aurai de toute façon, à la fin des fins. Allons voir ailleurs.

5. Dans quelle catégorie de mots classe-t-on les deux termes *ouf* et *plaf* ?

6. Explique la métaphore contenue dans *le poil en rince-bouteilles*.

Et il remonta sur terre, en quête d'une autre victime.

Il aperçut cette fois un vieil homme, un très vieil homme assis sous un pommier et qui regardait dans le vague.

– Bien le bonjour, mon brave, dit le Diable de sa voix la plus doucereuse. Une belle journée, n'est-ce pas ?

– Sûr, dit le vieil homme, une belle journée. Une belle journée comme j'en ai vu tant et plus...

Le Diable n'apprécia pas la remarque. En voilà un qui avait l'air beaucoup trop satisfait de son sort.

55 – Tenez donc, poursuivit-il, que diriez-vous si je vous accordais un souhait ? Faites un vœu – n'importe lequel – et je vous l'exauce... Remarquez, je devine déjà ce que vous allez souhaiter.

– Ah bon, et quoi donc ? demanda le vieil homme.

60 – Pardi ! s'écria le Diable. Vu que vous êtes sur la fin de vos jours, je parie que vous allez me demander de vous faire redevenir gamin.

Le vieil homme, pensif, tirailla sa moustache.

– Hmmm, non, finit-il par dire. Non. C'était bien bon d'être un gamin, mais il n'y avait pas que des avantages.

– Alors, reprit le Diable, vous allez me demander de vous rendre jeune homme.

– Non, dit le vieil homme. C'était bien bon, d'être un jeune homme, mais... Mais c'était dur, parfois, aussi. Non, ce ne serait pas mon souhait.

Le Diable en perdait sa belle **sérénité**.

– Bon, mais tout de même, reprit-il agacé, ne me dites pas que vous n'aimeriez pas retrouver votre jeunesse – la verdeur et la robustesse de vos quarante ou cinquante ans !

7. Trouve un antonyme de *sérénité* et explique dans quel état se trouve maintenant le diable.

– Hmmm non, dit le vieil homme. Je ne crois pas y tenir tellement. C'était bien bon, d'avoir quarante ou cinquante ans, mais tout n'était pas si parfait non plus.

– Mais quel âge aimeriez-vous avoir, alors ? s'exaspéra le Diable, à bout de patience.

– Et pourquoi diantre voudriez-vous que je souhaite un autre âge que le mien ? demanda le vieil homme. C'est votre

idée à vous, pas la mienne. Tous les âges se valent, je dirais
85 bien ; chacun a ses inconvénients, et chacun ses avantages. Non, je crois que j'essaierais de réclamer autre chose – si vraiment j'avais un souhait à formuler.

– Fort bien, dit le Diable, malheureusement j'ai changé d'avis. Vous *n'avez pas* de souhait à formuler.

90 – De toute manière, je n'y ai jamais cru, dit le vieil homme.

Et il reprit sa contemplation de l'invisible.

Le Diable grinça des dents ; un petit filet de fumée lui sortit par les oreilles, mais il se remit en chemin.

Il rencontra enfin un beau jeune homme tout pomponné,
95 tiré à quatre épingles et monté sur un grand cheval sombre.

Le diable n'a pas eu de succès avec la paysanne et le vieil homme. Évidemment, ce sera différent pour le troisième et dernier personnage. Prête une attention particulière aux réactions du jeune homme, qui laissent croire que, cette fois-ci, le diable réussira à berner un être humain.

– Bien le bonjour, jeune homme, dit le Diable de sa voix la plus fleurie. Belle journée, n'est-ce pas ?

– Pour ça oui, Madame, belle journée, dit l'autre en soulevant son chapeau et en s'inclinant le plus bas qu'il pouvait.

100 – Un instant je te prie, jeune homme, reprit le Diable aimablement. C'est un tel plaisir de rencontrer quelqu'un d'aussi charmant que toi qu'il me vient l'envie de t'accorder un souhait. Fais un vœu – un seul, n'importe lequel – et je te l'exauce. Qu'en penses-tu ?

105 – Un vœu ? s'écria le beau garçon, qui en avait laissé tomber son chapeau. Un souhait ? N'importe quoi ? Mais comment est-ce possible ? Dites-moi que je ne rêve pas.

– Tu ne rêves pas, dit le Diable avec un bon sourire. Voyons, que souhaiterais-tu ?

110 – Mais des quantités de choses, bien sûr ! Dites voir, je pourrais souhaiter n'importe quoi, vraiment ? La fortune, par exemple ?

– Par exemple, dit le Diable.

– Ou encore je pourrais souhaiter que toutes les filles tombent amoureuses de moi, poursuivait le beau garçon, qui commençait à s'émoustiller pour de bon. Ou souhaiter devenir le prince héritier. Ou le roi, pourquoi pas ? Je pourrais même formuler le souhait de régner sur la terre entière, tant que j'y suis, n'est-ce pas ?

– Naturellement, dit le Diable, dont le sourire s'épanouissait.

– D'un autre côté, reprenait le beau garçon, ce ne serait pas idiot, non plus, de rester à jamais jeune et beau.

– Ce ne serait pas idiot, sourit le Diable.

– À moins que... attendez ! songeait le jeune homme. Mieux vaudrait peut-être demander à conserver la santé pour toujours. À quoi bon tout le reste, quand la santé nous lâche ?

– Très juste, opina le Diable, qui **buvait du petit-lait**.

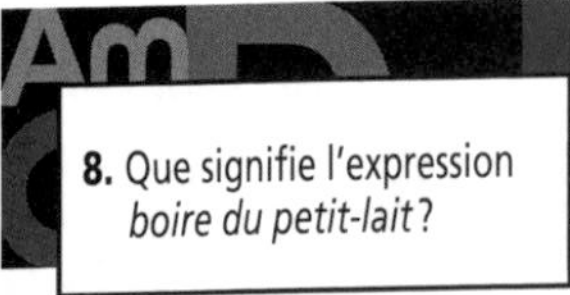
8. Que signifie l'expression *boire du petit-lait* ?

– Oooh, misère de misère ! gémissait le beau garçon en se tordant les mains. Que souhaiter ? À quoi renoncer ? Il y a de quoi devenir fou, devant un choix pareil ! Fortune, amour, pouvoir, santé, jeunesse éternelle, il faudrait tout cela à la fois ! Oh, chère marraine-fée, ce qu'il faudrait, c'est que tu me dises, entre tous ces souhaits, lequel il vaudrait mieux formuler !

135 – Facile, dit le Diable, le sourire en faucille. Tu es sûr que tu souhaites le savoir ? Tu veux vraiment que je te le dise ? Eh bien, le souhait le plus avisé, à ce qu'on dit, ce serait de souhaiter voir désormais chacun de ses souhaits exaucé.

Le jeune homme ouvrit des yeux ronds, et pâlit un instant.

140 – Mais oui, voyons, bien sûr ! Où donc avais-je la tête ? Voilà ce qu'il faut souhaiter ! Ce sera donc mon souhait : que chacun de mes souhaits se réalise désormais.

– Hé, mais c'est trop tard, jubila le Diable.

– Trop tard ? **s'effara** le jeune
145 homme. Mais pourquoi ? Vous venez juste de me dire que vous m'accordiez un souhait !

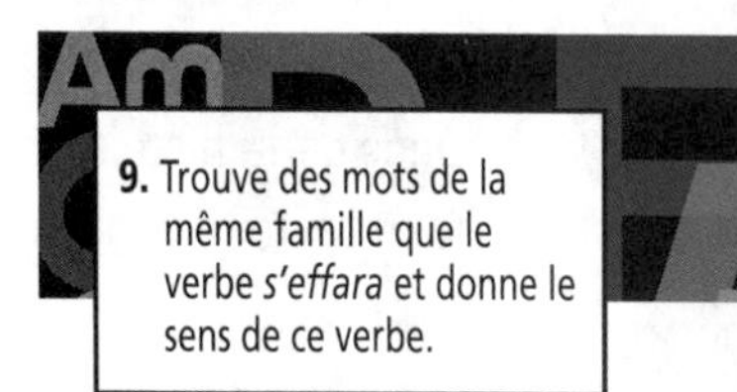
9. Trouve des mots de la même famille que le verbe *s'effara* et donne le sens de ce verbe.

– Exact, dit le Diable, radieux. Mais tu as déjà gaspillé ce souhait à me demander quel était le meilleur souhait possible.

150 Et là-dessus il s'éclipsa, enchanté de sa journée.

Natalie Babbitt, « Le souhait », *10 histoires de diable*, traduction Rose-Marie Vassallo, Castor Poche Flammarion, 1998.

APRÈS LA LECTURE

1 Choisis parmi les énoncés suivants celui qui définit le diable tel que présenté dans cette histoire.

a) Un personnage qui, dans la religion chrétienne, incarne le Mal ; le mauvais génie souvent représenté en monstre griffu, terrifiant, et doté de longues oreilles pointues, de cornes et d'une longue queue.
b) Un personnage de la mythologie grecque, l'ennemi juré de Zeus.
c) Un personnage réel qui est l'auteur de situations désastreuses, comme les guerres et les catastrophes naturelles.

2 Dans cette histoire, quel subterfuge le diable utilise-t-il pour tourmenter des personnes ? Pourquoi ?

3 Dans le texte, quel aspect de chacun des personnages rencontrés le diable tente-t-il d'exploiter ?

4 Cette histoire se termine-t-elle comme d'autres histoires de diable que tu as déjà lues ?

5 Précise dans quel état psychologique se trouve le diable après chaque rencontre. Justifie ta réponse à l'aide d'extraits du texte et explique pourquoi il se trouve dans cet état.

a) Après la rencontre de la paysanne :
b) Après la rencontre du vieil homme :
c) Après la rencontre du jeune homme :

6 Résume par une phrase chaque étape du schéma narratif de cette légende.

Situation initiale : //

Élément déclencheur : ///

Péripéties :

– **Première rencontre :** //

– **Deuxième rencontre :** ///

– **Troisième rencontre :** //

Dénouement : //

Situation finale : ///

7 Natalie Babbitt utilise plusieurs expressions pour décrire ses personnages et leurs réactions. Donne le sens de chaque expression suivante et donne le nom du personnage auquel elle se rapporte.

a) *tout guilleret* (ligne 5) :

b) *cheminait clopin-clopant* (lignes 7 et 8) :

c) *contemplation de l'invisible* (ligne 91) :

d) *tiré à quatre épingles* (ligne 95) :

e) *s'émoustiller* (ligne 116) :

8 Raconterais-tu cette histoire à un jeune enfant avant l'heure d'aller au lit ? Justifie ta décision.

MARCEL AYMÉ

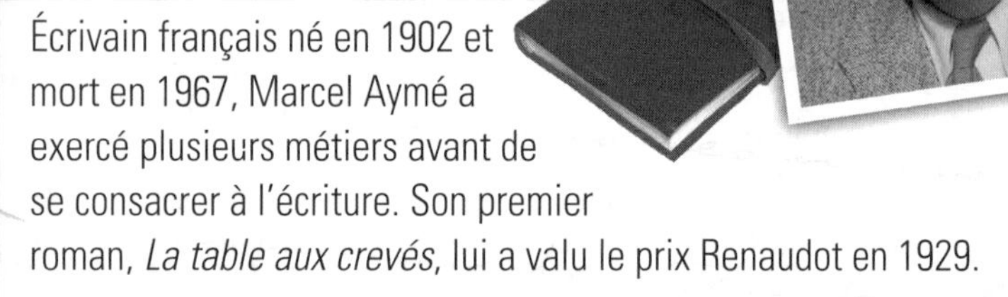

Écrivain français né en 1902 et mort en 1967, Marcel Aymé a exercé plusieurs métiers avant de se consacrer à l'écriture. Son premier roman, *La table aux crevés*, lui a valu le prix Renaudot en 1929.

Marcel Aymé a touché à plusieurs genres littéraires, dont le roman, le conte, la nouvelle, le théâtre et l'essai. Il a aussi adapté pour le grand écran des pièces de théâtre américaines célèbres, dont *Les sorcières de Salem* d'Arthur Miller et *La nuit de l'iguane* de Tennessee Williams.

On peut voir un monument commémoratif en son honneur à Montmartre, à Paris. Le monument évoque le personnage principal d'une de ses plus célèbres œuvres, *Le passe-muraille.*

Du même auteur...

Romans
La jument verte (1933)
Travelingue (1941)
Les tiroirs de l'inconnu (1960)

Conte
Les contes du chat perché (1934-1946)

Pièces de théâtre
Vogue la galère (1951)
La tête des autres (1952)

Garou-Garou, le passe-muraille, Jean Boyer (1950)
Le passe-muraille, Pierre Tchernia (1977)

À PROPOS DE *Le passe-muraille*

Le passe-muraille est une nouvelle littéraire. Associée au genre narratif, la nouvelle est beaucoup plus brève que le roman et comporte généralement une fin inattendue. Elle s'adresse habituellement à des lecteurs adultes, contrairement au conte, qui est le plus souvent destiné aux enfants. Cela dit, si la nouvelle est plus réaliste, il peut y avoir aussi une part de fantastique. La preuve, les nouvelles de Maupassant et de Poe sont empreintes d'éléments mystérieux et de forces surnaturelles.

Le passe-muraille raconte l'histoire d'un homme « ordinaire » doté du pouvoir « extraordinaire » de passer à travers les murs. Dans cette nouvelle, tout est vraisemblable : le décor, les personnages, les sentiments. Pourtant, le personnage principal, un fonctionnaire, traverse les murs comme si de rien n'était, comme si c'était une banale maladie, ce qui rend l'histoire particulièrement comique. Le récit se termine comme la plupart des nouvelles littéraires, c'est-à-dire de manière quelque peu abrupte, sur une note étonnante.

POUR SE PRÉPARER À LA LECTURE

Après avoir lu les textes des pages précédentes, réponds aux questions suivantes.

1. Le personnage a le don de passer à travers les murs. Quel don aimerais-tu avoir ? Que te permettrait-il de faire d'extraordinaire ? Justifie ton souhait.

2. Le personnage principal exerce le métier de fonctionnaire. Quels préjugés a-t-on généralement à l'égard des gens qui ont un emploi dans une institution publique ? Crois-tu que ces préjugés soient fondés ?

3. Cette histoire se termine très mal pour le personnage principal. Comme tu sais quel est son don, fais des prédictions sur le dénouement de la nouvelle.

4. *Le passe-muraille* se déroule à Paris, en France, plus précisément dans le quartier Montmartre. Fais une recherche d'images et d'informations sur ce quartier dans Internet pour t'en faire une idée. Quelles sont les principales caractéristiques de ce quartier (édifices, vie culturelle, etc.) ?

Le passe-muraille

MARCEL AYMÉ

Il y avait à Montmartre, au troisième étage du 75 *bis* de la rue d'Orchampt, un excellent homme nommé Dutilleul qui possédait le don singulier de passer à travers les murs sans en être incommodé. Il portait un **binocle**, une petite barbiche noire, et il était employé de troisième classe au ministère de l'Enregistrement. En hiver, il se rendait à son bureau par l'autobus, et, à la belle saison, il faisait le trajet à pied, sous son chapeau melon.

1. Qu'est-ce qu'un *binocle* ? Quel est le nom de l'objet qu'on utilise aujourd'hui et qui a la même fonction qu'un binocle ?

Dutilleul venait d'entrer dans sa quarante-troisième année lorsqu'il eut la révélation de son pouvoir. Un soir, une courte panne d'électricité l'ayant surpris dans le vestibule de son petit appartement de célibataire, il tâtonna un moment dans
15 les ténèbres et, le courant revenu, se trouva sur le palier du troisième étage. Comme sa porte d'entrée était fermée à clé de l'intérieur, l'incident lui donna à réfléchir et, malgré les **remontrances** de sa raison, il se décida à rentrer chez lui comme il
20 en était sorti, en passant à travers la muraille. Cette étrange faculté, qui semblait ne répondre à aucune de ses aspirations, ne laissa pas de le contrarier un peu, et, le lendemain samedi, profitant de
25 la semaine anglaise[1], il alla trouver un médecin du quartier pour lui exposer son cas. Le docteur put se convaincre qu'il disait vrai et, après examen, découvrit la cause du mal dans un durcissement hélicoïdal de la paroi strangulaire du corps thyroïde. Il prescrivit le surmenage intensif et, à raison de deux
30 cachets par an, l'absorption de poudre de pirette tétravalente, mélange de farine de riz et d'hormone de centaure[2].

> **2.** Quel mot ne pourrait pas remplacer le mot *remontrances*?
> – reproches
> – réprimandes
> – approbations

Ayant absorbé un premier cachet, Dutilleul rangea le médicament dans un tiroir et n'y pensa plus. Quant au surmenage intensif, son activité de fonctionnaire était réglée par des usa-
35 ges ne s'accommodant d'aucun excès, et ses heures de loisir, consacrées à la lecture du journal et à sa collection de timbres,

1 Les travailleurs français avaient une journée de congé le dimanche ; quant aux travailleurs anglais, en plus du dimanche, ils avaient la demi-journée ou la journée complète du samedi.

2 Personnage mi-homme, mi-cheval de la mythologie grecque.

ne l'obligeaient pas non plus à une dépense déraisonnable d'énergie. Au bout d'un an, il avait donc gardé intacte la faculté de passer à travers les murs, mais il ne l'utilisait jamais, sinon

40 **par inadvertance**, étant peu curieux d'aventures et rétif aux entraînements de l'imagination. L'idée ne lui venait même pas de rentrer chez lui autrement que

45 par la porte et après l'avoir dûment ouverte en faisant jouer la serrure. Peut-être eût-il vieilli dans la paix de ses habitudes sans avoir la tentation de mettre ses dons à l'épreuve, si un événement extraordinaire n'était venu soudain bouleverser son existence. M. Mouron, son sous-chef de bureau, appelé à

50 d'autres fonctions, fut remplacé par un certain M. Lécuyer, qui avait la parole brève et la moustache en brosse.

3. Dutilleul utilise-t-il son pouvoir volontairement ? Justifie ta réponse en donnant le sens de *par inadvertance*.

Dès le premier jour, le nouveau sous-chef vit de très mauvais œil que Dutilleul portât un lorgnon à chaînette et une barbiche noire, et il affecta de le traiter comme une vieille

55 chose gênante et un peu malpropre. Mais le plus grave était qu'il prétendît introduire dans son service des réformes d'une portée considérable et bien faites pour troubler la quiétude de son subordonné. Depuis vingt ans, Dutilleul commençait ses lettres par la formule suivante : « **Me reportant à votre hono-**

60 **rée du tantième courant et, pour mémoire, à notre échange de lettres antérieur, j'ai l'honneur de vous informer...** » Formule à laquelle M. Lécuyer entendit

4. Récris dans un registre de langue plus actuel la formule qu'utilise Dutilleul pour commencer ses lettres.

substituer une autre d'un tour plus américain: « En réponse à votre lettre du tant, je vous informe... » Dutilleul ne put s'accoutumer à ces façons **épistolaires**. Il revenait malgré lui à la manière traditionnelle, avec une obstination machinale qui lui valut l'**inimitié** grandissante du sous-chef. L'atmosphère du ministère de l'Enregistrement lui devenait presque pesante. Le matin, il se rendait à son travail avec appréhension, et le soir, dans son lit, il lui arrivait bien souvent de méditer un quart d'heure entier avant de trouver le sommeil.

5. Trouve l'origine du mot *épistolaire*.

6. Quel est l'antonyme du mot *inimitié* ?

Écœuré par cette volonté rétrograde qui compromettait le succès de ses réformes, M. Lécuyer avait relégué Dutilleul dans un réduit à demi obscur, attenant à son bureau. On y accédait par une porte basse et étroite donnant sur le couloir et portant encore en lettres capitales l'inscription: Débarras. Dutilleul avait accepté d'un cœur résigné cette humiliation sans précédent, mais chez lui, en lisant dans son journal le récit de quelque sanglant fait divers, il se surprenait à rêver que M. Lécuyer était la victime.

Un jour, le sous-chef fit irruption dans le réduit en brandissant une lettre et il se mit à beugler:

– Recommencez-moi ce torchon! Recommencez-moi cet **innommable** torchon qui déshonore mon service!

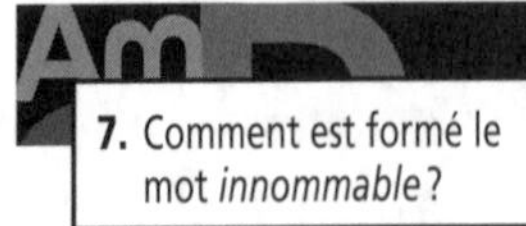
7. Comment est formé le mot *innommable* ?

90 Dutilleul voulut protester, mais M. Lécuyer, la voix tonnante, le traita de **cancrelat** routinier, et, avant de partir, froissant la lettre qu'il avait en main, la lui jeta au visage. Dutilleul était modeste, mais fier. Demeuré 95 seul dans son réduit, il fit un peu de température et, soudain, se sentit en proie à l'inspiration. Quittant son siège, il entra dans le mur qui séparait son bureau de celui du sous-chef, mais il y entra avec 100 prudence, de telle sorte que sa tête seule **émergeât** de l'autre côté. M. Lécuyer, assis à sa table de travail, d'une plume encore nerveuse déplaçait une virgule dans le texte d'un employé, soumis à son approbation, lorsqu'il entendit tousser dans son bureau. Levant les yeux, il découvrit avec un effarement indi- 105 cible la tête de Dutilleul, collée au mur à la façon d'un trophée de chasse. Et cette tête était vivante. À travers le lorgnon à chaînette, elle dardait sur lui un regard de haine. Bien mieux, la tête se mit à parler.

8. Quel mot est inclus dans le mot *cancrelat* ? Que signifie ce mot ?

9. a) Quel est le verbe contraire d'*émerger* ?
b) Que signifient ces deux verbes ?

– Monsieur, dit-elle, vous êtes un voyou, un 110 butor et un galopin.

Béant d'horreur, M. Lécuyer ne pouvait détacher les yeux de cette apparition. Enfin, s'arrachant à son fauteuil, il bondit dans le couloir et courut jusqu'au réduit. Dutilleul, le porte-plume à la main, 115 était installé à sa place habituelle, dans une attitude paisible et laborieuse. Le sous-chef le regarda longuement et, après avoir balbutié quelques paroles, regagna son bureau. À peine venait-il de s'asseoir que la tête réapparaissait sur la muraille.

– Monsieur, vous êtes un voyou, un butor et un galopin.

120 Au cours de cette seule journée, la tête redoutée apparut vingt-trois fois sur le mur et, les jours suivants, à la même cadence. Dutilleul, qui avait acquis une certaine aisance à ce jeu, ne se contentait plus d'**invectiver** contre le sous-chef. Il proférait des menaces obscures, s'écriant par exemple d'une 125 voix **sépulcrale**, ponctuée de rires vraiment démoniaques :

– Garou ! garou ! Un poil de loup ! (*rire*). Il rôde un frisson à décorner tous les hiboux (*rire*).

10. Trouve des synonymes au verbe *invectiver*.

11. a) À partir de quel nom a été formé l'adjectif *sépulcrale* ?
b) Trouve un synonyme à cet adjectif.

130 Ce qu'entendant, le pauvre sous-chef devenait un peu plus pâle, un peu plus suffocant, et ses cheveux se dressaient bien droits sur sa tête et il lui coulait dans le dos d'horribles sueurs d'agonie. Le premier jour, il maigrit d'une livre. Dans la semaine qui suivit, outre qu'il se mit à fondre presque à vue 135 d'œil, il prit l'habitude de manger le potage avec sa fourchette et de saluer militairement les gardiens de la paix. Au début de la deuxième semaine, une ambulance vint le prendre à son domicile et l'emmena dans une maison de santé.

Dutilleul, délivré de la tyrannie de M. Lécuyer, put revenir à 140 ses chères formules : « Me reportant à votre honorée du tantième

courant... » Pourtant, il était insatisfait. Quelque chose en lui réclamait, un besoin nouveau, impérieux, qui n'était rien de moins que le besoin de passer à travers les murs. Sans doute le pouvait-il faire aisément, par exemple chez lui, et du reste, il n'y
145 manqua pas. Mais l'homme qui possède des dons brillants ne peut se satisfaire longtemps de les exercer sur un objet médiocre. Passer à travers les murs ne saurait d'ailleurs constituer une fin en soi. C'est le départ d'une aventure, qui appelle une suite, un développement et, en somme, une rétribution.

Quel usage penses-tu que Dutilleul pourrait faire de son don pour satisfaire son goût d'aventure ? Vérifie tes hypothèses en lisant la suite du texte.

150 Dutilleul le comprit très bien. Il sentait en lui un besoin d'expansion, un désir croissant de s'accomplir et de se surpasser, et une certaine nostalgie qui était quelque chose comme l'appel de derrière le mur. Malheureusement, il lui manquait un but. Il chercha son inspiration dans la lecture du journal,
155 particulièrement aux chapitres de la politique et du sport, qui lui semblaient être des activités honorables, mais s'étant finalement rendu compte qu'elles n'offraient aucun débouché aux personnes qui passent à travers les
160 murs, il se rabattit sur le fait divers qui se révéla des plus suggestifs.

12. Trouve dans les lignes 150 à 161 deux groupes du nom qui indiquent que Dutilleul veut faire de grandes choses.

Le premier cambriolage auquel se livra Dutilleul eut lieu dans un grand établissement de crédit de la rive droite. Ayant

traversé une douzaine de murs et de cloisons, il pénétra dans
165 divers coffres-forts, emplit ses poches de billets de banque et, avant de se retirer, signa son larcin à la craie rouge, du pseudonyme de Garou-Garou, avec un fort joli paraphe qui fut reproduit le lendemain par tous les journaux. Au bout d'une semaine, ce nom de Garou-Garou connut une extraordinaire
170 célébrité. La sympathie du public allait sans réserve à ce prestigieux cambrioleur qui **narguait** si joliment la police. Il se signalait chaque nuit par un nouvel exploit accompli soit au détriment d'une
175 banque, soit à celui d'une bijouterie ou d'un riche particulier. À Paris comme en province, il n'y avait point de femme un peu rêveuse qui n'eût le fervent désir d'appartenir corps et âme au terrible Garou-Garou. Après le vol du fameux diamant de Burdigala et le cambriolage du Crédit
180 municipal, qui eurent lieu la même semaine, l'enthousiasme de la foule atteignit au délire. Le ministre de l'Intérieur dut démissionner, entraînant dans sa chute le ministre de l'Enregistrement. Cependant, Dutilleul, devenu l'un des hommes les plus riches de Paris, était toujours ponctuel à son bureau et
185 on parlait de lui pour les Palmes académiques. Le matin, au ministère de l'Enregistrement, son plaisir était d'écouter les commentaires que faisaient les collègues sur ses exploits de la veille. « Ce Garou-Garou, disaient-ils, est un homme formidable, un surhomme, un génie. » En entendant de tels éloges,
190 Dutilleul devenait rouge de confusion et, derrière le lorgnon à chaînette, son regard brillait d'amitié et de gratitude. Un jour, cette atmosphère de sympathie le mit tellement en confiance

13. Quels verbes pourraient remplacer *narguait* ?
- se moquait
- riait de
- craignait

qu'il ne crut pas pouvoir garder le secret plus longtemps. Avec un reste de timidité, il considéra ses collègues groupés autour 195 d'un journal relatant le cambriolage de la Banque de France, et déclara d'une voix modeste : « Vous savez, Garou-Garou, c'est moi. » Un rire énorme et interminable accueillit la confidence de Dutilleul qui reçut, par dérision, le surnom de Garou-Garou. Le soir, à l'heure de quitter le ministère, il était l'objet de 200 plaisanteries sans fin de la part de ses camarades et la vie lui semblait moins belle.

Quelques jours plus tard, Garou-Garou se faisait pincer par une ronde de nuit dans une bijouterie de la rue de la Paix. Il avait apposé sa signature sur le comptoir-caisse et s'était mis 205 à chanter une chanson à boire en fracassant différentes vitrines à l'aide d'un hanap[3] en or massif. Il lui eût été facile de s'enfoncer dans un mur et d'échapper ainsi à la ronde de nuit, mais tout porte à croire qu'il voulait être arrêté et probablement à seule fin de confondre ses collègues dont l'incrédulité l'**avait** 210 **mortifié**. Ceux-ci, en effet, furent bien surpris, lorsque les journaux du lendemain publièrent en première page la photographie de Dutilleul. Ils regrettèrent amèrement d'avoir méconnu leur 215 génial camarade et lui rendirent hommage en se laissant pousser une petite barbiche. Certains même, entraînés par le remords et l'admiration, tentèrent de se faire la main sur le portefeuille ou la montre de famille de leurs amis et connaissances.

14. Trouve un synonyme au verbe *avait mortifié*.

3 Vase en métal pour boire de l'époque médiévale et ayant un pied et un couvercle.

On jugera sans doute que le fait de se laisser prendre par la police pour étonner quelques collègues témoigne d'une grande légèreté, indigne d'un homme exceptionnel, mais le ressort apparent de la volonté est fort peu de chose dans une telle détermination. En renonçant à la liberté, Dutilleul croyait céder à un orgueilleux désir de revanche, alors qu'en réalité il glissait simplement sur la pente de sa destinée. Pour un homme qui passe à travers les murs, il n'y a point de carrière un peu poussée s'il n'a tâté au moins une fois de la prison. Lorsque Dutilleul pénétra dans les locaux de la Santé[4], il eut l'impression d'être gâté par le sort. L'épaisseur des murs était pour lui un véritable régal. Le lendemain même de son incarcération, les gardiens découvrirent avec stupeur que le prisonnier avait planté un clou dans le mur de sa cellule et qu'il y avait accroché une montre en or appartement au directeur de la prison. Il ne put ou ne voulut révéler comment cet objet était entré en sa possession. La montre fut rendue à son propriétaire et, le lendemain, retrouvée au chevet de Garou-Garou avec le tome premier des *Trois Mousquetaires* emprunté à la bibliothèque du directeur. Le personnel de la Santé était sur les dents. Les gardiens se plaignaient en outre de recevoir des coups de pied dans le derrière, dont la provenance était inexplicable. Il

4 Nom de la prison.

semblait que les murs eussent, non plus des oreilles, mais des pieds. La détention de Garou-Garou durait depuis une semaine, lorsque le directeur de la Santé, en pénétrant un matin dans son bureau, trouva sur sa table la lettre suivante :

250 « Monsieur le directeur. Me reportant à notre entretien du 17 courant et, pour mémoire, à vos instructions générales du 15 mai de l'année dernière, j'ai l'honneur de vous informer que je viens d'achever la lecture du second tome des *Trois Mousquetaires* et que je compte m'évader cette nuit entre onze 255 heures vingt-cinq et onze heures trente-cinq. Je vous prie, monsieur le directeur, d'agréer l'expression de mon profond respect. Garou-Garou. »

Malgré l'étroite surveillance dont il fut l'objet cette nuit-là, Dutilleul s'évada à onze heures trente. Connue du public le 260 lendemain matin, la nouvelle souleva partout un enthousiasme magnifique. Cependant, ayant effectué un nouveau cambriolage qui mit le comble à sa popularité, Dutilleul semblait peu soucieux de se cacher et circulait à travers Montmartre sans aucune précaution. Trois jours après son évasion, il fut arrêté 265 rue Caulaincourt au café du Rêve, un peu avant midi, alors qu'il buvait un vin blanc citron avec des amis.

Reconduit à la Santé et enfermé au triple verrou dans un cachot **ombreux**, Garou-Garou s'en échappa le soir même et 270 alla coucher à l'appartement du directeur, dans la chambre d'ami.

15. À partir de quel nom a-t-on formé l'adjectif *ombreux* ?

Le lendemain matin, vers neuf heures, il sonnait la bonne pour avoir son petit déjeuner et se laissait cueillir au lit, sans résistance, par les gardiens alertés. Outré, le directeur établit un poste de garde à la porte de son cachot et le mit au pain sec. Vers midi, le prisonnier s'en fut déjeuner dans un restaurant voisin de la prison et, après avoir bu son café, téléphona au directeur.

– Allô ! Monsieur le directeur, je suis confus, mais tout à l'heure, au moment de sortir, j'ai oublié de prendre votre portefeuille, de sorte que je me trouve en panne au restaurant. Voulez-vous avoir la bonté d'envoyer quelqu'un pour régler l'addition ?

Le directeur accourut en personne et s'emporta jusqu'à proférer des menaces et des injures. Atteint dans sa fierté, Dutilleul s'évada la nuit suivante et pour ne plus revenir. Cette fois, il prit la précaution de raser sa barbiche noire et remplaça son lorgnon à chaînette par des lunettes en écaille. Une casquette de sport et un costume à larges carreaux avec culotte de golf achevèrent de le transformer. Il s'installa dans un petit appartement de l'avenue Junot où, dès avant sa première arrestation, il avait fait transporter une partie de son mobilier et les objets auxquels il tenait le plus. Le bruit de sa renommée commençait à le lasser et depuis son séjour à la Santé, il était un peu blasé sur le plaisir de passer à travers les murs. Les plus épais, les plus orgueilleux, lui semblaient maintenant de simples paravents, et il rêvait de s'enfoncer au cœur de quelque massive pyramide. Tout en mûrissant le projet d'un voyage en

Égypte, il menait une vie des plus paisibles, partagée entre sa collection de timbres, le cinéma et de longues flâneries à travers Montmartre. Sa métamorphose était si complète qu'il passait, **glabre** et lunetté d'écaille, à côté de ses meilleurs amis sans être reconnu. Seul le peintre Gen Paul, à qui rien ne saurait échapper d'un changement survenu dans la physionomie d'un vieil habitant du quartier, avait fini par pénétrer sa véritable identité. Un matin qu'il se trouva nez à nez avec Dutilleul au coin de la rue de l'Abreuvoir, il ne put s'empêcher de lui dire dans son rude argot :

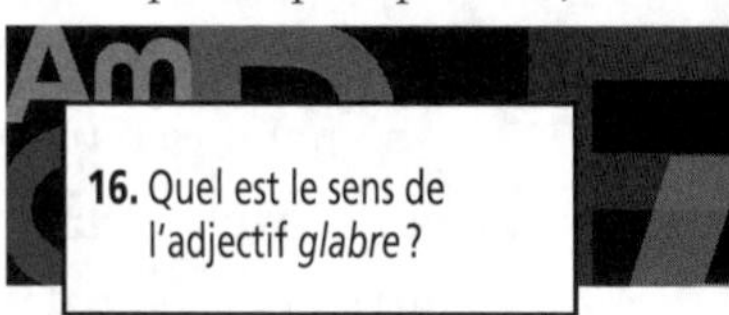

– Dis donc, je vois que tu t'es miché en gigolpince pour tétarer ceux de la sûrepige – ce qui signifie à peu près en langage vulgaire : je vois que tu t'es déguisé en élégant pour confondre les inspecteurs de la Sûreté.

– Ah ! murmura Dutilleul, tu m'as reconnu !

Il en fut troublé et décida de hâter son départ pour l'Égypte. Ce fut l'après-midi de ce même jour qu'il devint amoureux d'une beauté blonde rencontrée deux fois rue Lepic à un quart d'heure d'intervalle. Il en oublia aussitôt sa collection de timbres et l'Égypte et les Pyramides. De son côté, la blonde l'avait regardé avec beaucoup d'intérêt. Il n'y a rien qui parle à l'imagination des jeunes femmes d'aujourd'hui comme des culottes de golf et une paire de lunettes en écaille. Cela sent son cinéaste et fait rêver cocktails et nuits de Californie. Malheureusement, la belle, Dutilleul en fut informé par Gen Paul, était mariée à

325 un homme brutal et jaloux. Ce mari soupçonneux, qui menait d'ailleurs une vie de bâtons de chaise, délaissait régulièrement sa femme entre dix heures du soir et quatre heures du matin, mais avant de sortir, prenait la précaution de la boucler dans sa chambre, à deux tours de clé, toutes persiennes fermées 330 au cadenas. Dans la journée, il la surveillait étroitement, lui arrivant même de la suivre dans les rues de Montmartre.

– Toujours à la biglouse, quoi. C'est de la grosse nature de truand qu'admet pas qu'on ait des vouloirs de piquer dans son réséda.

335 Mais cet avertissement de Gen Paul ne réussit qu'à enflammer Dutilleul. Le lendemain, croisant la jeune femme rue Tholozé, il osa la suivre dans une crémerie et, tandis qu'elle attendait son tour d'être servie, il lui dit qu'il l'aimait respectueusement, qu'il savait tout : le mari méchant, la porte à clé et 340 les persiennes, mais qu'il serait le soir même dans sa chambre. La blonde rougit, son pot à lait trembla dans sa main et, les yeux mouillés de tendresse, elle soupira faiblement : « Hélas ! Monsieur, c'est impossible. »

Le soir de ce jour radieux, vers dix heures, Dutilleul était 345 en faction dans la rue Norvins et surveillait un robuste mur de clôture, derrière lequel se trouvait une petite maison dont il n'apercevait que la girouette et la cheminée. Une porte s'ouvrit dans ce mur et un homme, après l'avoir soigneusement fermée à clé derrière lui, descendit vers l'avenue Junot. Dutilleul 350 attendit de l'avoir vu disparaître, très loin, au tournant de la

descente, et compta encore jusqu'à dix. Alors, il s'élança, entra dans le mur au pas gymnastique et, toujours courant à travers les obstacles, pénétra dans la chambre de la belle recluse. Elle l'accueillit avec ivresse et ils s'aimèrent jusqu'à une 355 heure avancée.

Le lendemain, Dutilleul eut la contrariété de souffrir de violents maux de tête. La chose était sans importance et il n'allait pas, pour si peu, manquer à son rendez-vous. Néanmoins, ayant par hasard découvert des cachets épars au fond d'un 360 tiroir, il en avala un le matin et un l'après-midi. Le soir, ses douleurs de tête étaient supportables et l'**exaltation** les lui fit oublier. La jeune femme l'attendait avec toute l'impatience qu'avaient fait naître 365 en elle les souvenirs de la veille et ils s'aimèrent, cette nuit-là, jusqu'à trois heures du matin. Lorsqu'il s'en alla, Dutilleul, en traversant les cloisons et les murs de la maison, eut l'impression d'un frottement inaccoutumé aux hanches et aux épaules. Toutefois, il ne crut pas devoir y prêter attention. Ce 370 ne fut d'ailleurs qu'en pénétrant dans le mur de clôture qu'il éprouva nettement la sensation d'une résistance. Il lui semblait se mouvoir dans une matière encore fluide, mais qui devenait pâteuse et prenait, à chacun de ses efforts, plus de consistance. Ayant réussi à se loger tout entier dans l'épaisseur du mur, il 375 s'aperçut qu'il n'avançait plus et se souvint avec terreur des deux cachets qu'il avait pris dans la journée. Ces cachets, qu'il avait cru d'aspirine, contenaient en réalité de la poudre de pirette tétravalente prescrite par le docteur l'année précédente.

17. Quel sentiment exalte Dutilleul ?

L'effet de cette médication s'ajoutant à celui d'un surmenage
380 intensif, se manifestait d'une façon soudaine.

Dutilleul était comme figé à l'intérieur de la muraille. Il y est encore à présent, incorporé à la pierre. Les noctambules qui descendent la rue Norvins à l'heure où la rumeur de Paris s'est apaisée, entendent une voix assourdie qui semble
385 venir d'outre-tombe et qu'ils prennent pour la plainte du vent sifflant aux carrefours de la Butte. C'est Garou-Garou Dutilleul qui lamente la fin de sa glorieuse carrière et le regret des amours trop brèves. Certaines nuits d'hiver, il arrive
390 que le peintre Gen Paul, décrochant sa guitare, s'aventure dans la solitude sonore de la rue Norvins pour consoler d'une chanson le pauvre prisonnier, et les notes, envolées de ses doigts engourdis, pénètrent au cœur de
395 la pierre comme des gouttes de clair de lune.

Marcel Aymé, *Le passe-muraille*, Éditions Gallimard, 1943.

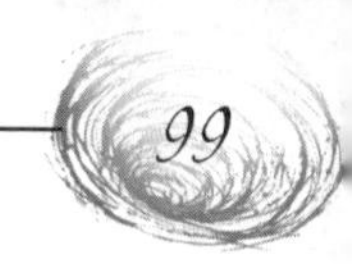

APRÈS LA LECTURE

1. Pourquoi cette nouvelle littéraire appartient-elle au domaine du fantastique ?

2. Le personnage principal, Dutilleul, est un fonctionnaire. Quelles caractéristiques de Dutilleul correspondent au stéréotype d'un fonctionnaire ?

3. a) Quelle est la réaction de Dutilleul lorsqu'il découvre son don ?
   b) Quel commentaire ironique le narrateur fait-il sur la prescription de surmenage intensif du médecin ? Pourquoi ce commentaire est-il sarcastique ?

4. Pourquoi Dutilleul décide-t-il d'utiliser son don ?

5. a) Quel besoin ressent Dutilleul après s'être débarrassé du sous-chef ?
   b) Dutilleul cherche dans le journal un moyen de combler son besoin. Est-ce que le genre d'activités qu'il y trouve correspond à son caractère ?

6. a) Comment Dutilleul abuse-t-il ensuite de son don ?
   b) Quel effet ont ces coups d'éclat sur ses collègues de bureau ?
   c) Comment ses collègues réagissent-ils lorsqu'il leur avoue être Garou-Garou ?
   d) Quelle est alors la réaction de Dutilleul ?

7 a) Relève le passage qui révèle le point de vue du narrateur omniscient sur la capture de Dutilleul.
b) Que veut-il dire ?

8 a) Énumère les ruses de Dutilleul pendant son passage en prison.
b) Quelles précautions Dutilleul prend-il lorsqu'il s'évade de prison dans l'espoir de ne plus y retourner ?

9 a) Pourquoi Dutilleul fait-il le projet d'un voyage en Égypte ?
b) Pourquoi renonce-t-il à son projet ?

10 a) Quels sont les signes qui annoncent la perte de son don ?
b) Pourquoi ces signes se manifestent-ils ?

11 Marcel Aymé utilise plusieurs expressions imagées avec un sens humoristique. Donne le sens des deux expressions suivantes :

a) [...] *il fit un peu de température* (lignes 95 et 96)
b) *Il semblait que les murs eussent, non plus des oreilles, mais des pieds.* (lignes 245 et 246)

12 Des lignes 90 à 108, l'auteur utilise tour à tour le passé simple et l'imparfait de l'indicatif. Donne trois exemples pour chacun de ces temps de verbe et justifies-en l'emploi.

13 Le dernier paragraphe relate la fin de Dutilleul dans une langue plutôt poétique et au présent de l'indicatif, ce qui accentue l'effet de réalisme.

a) Quel aspect est décrit aux lignes :
381 et 382 ?
382 à 389 ?
389 à 395 ?

b) Relève cinq verbes conjugués au présent de l'indicatif.

c) Relève deux passages qui contiennent des figures de style particulièrement poétiques et explique ces figures de style. Par exemple : *à l'heure où la rumeur de Paris s'est apaisée* (lignes 383 et 384) est une métaphore dans laquelle on compare la ville de Paris à une foule d'où s'élève une rumeur.

14 Comment Dutilleul évolue-t-il psychologiquement du début de l'histoire à sa période délinquante ? Justifie ta réponse.

15 Ce texte est un grand classique de la littérature française, connu de par le monde, depuis des générations. Crois-tu que cette renommée soit méritée ? Justifie ta réponse.

ANN ROCARD

Née en France, le 23 février 1954, Ann Rocard est une auteure française spécialisée en littérature jeunesse.

Elle a commencé à écrire des histoires dès l'âge de 10 ans et a proposé ses premiers textes à des éditeurs à 24 ans. Son premier livre paraît en 1979 et est suivi de plusieurs livres d'histoires pour enfants. Elle consacre la plupart de son temps à l'écriture et vit de son travail en tant qu'écrivaine.

Ses deux contes présentés ici font partie de son recueil intitulé *Contes du monde entier*. Ann Rocard souhaite, avec ce livre, faire connaître aux enfants de très vieilles histoires racontées par des peuples de chaque continent.

De la même auteure…
Les pirates du Pirkessa (2008)
Mystères au collège Jules Verne (2009)
Zoé Moustic du grand cirque Plic (2009)

Le site Web d'Ann Rocard
www.annrocard.com

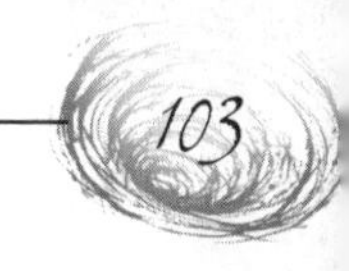

À PROPOS DE

Le jeune homme, la Chance et l'Intelligence

Le jeune homme, la Chance et l'Intelligence est un conte sur la sagesse et la vérité, qui cherche à enseigner certaines valeurs. L'histoire vient d'Éthiopie, un pays de l'Est du continent africain, considéré par plusieurs spécialistes de la préhistoire comme le berceau de l'humanité : c'est là où serait apparue l'espèce humaine. Imaginons que le récit nous est raconté par un vieux conteur qui connaît bien la richesse du folklore de son pays et l'histoire de ses rois. Notre vieux conteur prend bien son temps pour introduire les personnages. Il présente les dialogues en appuyant sur les passages importants. Il cherche à livrer un message sur l'importance de l'intelligence. Et son auditoire est captivé par son récit.

POUR SE PRÉPARER À LA LECTURE

Après avoir lu les textes des pages précédentes, réponds aux questions suivantes.

1. Le titre nous annonce qu'il sera question de la chance et de l'intelligence. Lequel de ces deux éléments semble le plus important pour réussir sa vie. Justifie ta réponse à l'aide d'exemples tirés de ton expérience.

2. Dans ce texte, la Chance et l'Intelligence sont des personnages qui parlent et interagissent avec d'autres personnages. Qu'y a-t-il d'étonnant dans cela ?

3. Dans la section *À propos de*, on t'invite à imaginer que cette histoire est racontée par un vieil homme. As-tu déjà écouté un conteur ou une conteuse raconter une de ses histoires ? Quels souvenirs en as-tu gardés ?

4. Comme dans bien des contes, ce récit présente un personnage de roi. Généralement, ce genre de personnage est-il sympathique ou antipathique ? Justifie ta réponse à l'aide de personnages connus.

Le jeune homme, la Chance et l'Intelligence

ANN ROCARD
Conte d'Éthiopie

Un jour, la Chance et l'Intelligence décidèrent :

– Pour savoir qui est la meilleure amie de l'homme, nous allons en interroger un.

Elles aperçurent près d'une ferme, un beau jeune homme très pauvre qui bêchait la terre, et elles lui dirent :

– Nous sommes la Chance et l'Intelligence. Laquelle de nous deux est ta meilleure amie ?

– La Chance, répondit le jeune homme après avoir réfléchi.

Il reprit son travail. Soudain, sa pelle heurta quelque chose. C'était un coffre plein de pièces d'or! Le jeune homme chargea le coffre sur son mulet et il se rendit en ville pour acheter des vêtements, des esclaves et des chevaux.

Le même jour, le roi du pays se promenait non loin de là. Quand le jeune homme le vit, il alla déposer le coffre à ses pieds.

1. Relève dans les lignes 13 à 27 des mots qui pourraient faire partie d'un champ lexical lié aux contes de princes et de princesses.

Le roi pensa: « Ce beau jeune homme est sans doute un prince étranger qui veut épouser ma fille dont la beauté est connue dans le monde entier. »

Et il le conduisit jusqu'à son palais. Quelques jours plus tard, le mariage fut célébré.

Le roi avait fait décorer un château pour le jeune couple. En découvrant les tapis, les meubles et les décorations, le jeune homme, qui n'avait jamais vu autant de richesses, resta muet d'**étonnement**. Pas le moindre cri de joie! Les serviteurs du roi coururent aussitôt prévenir leur maître.

– Il est sans doute déçu, dit le roi. Je vais lui faire construire un autre château, **plus** beau **que** le premier.

2. Propose un synonyme du mot *étonnement*.

3. Remplace le groupe de mots de comparaison *plus... que* par d'autres mots de comparaison qui modifieraient le sens du texte.

Comme la première fois, le jeune homme fut si surpris qu'il ne put prononcer un mot. Le roi crut que ce nouveau château déplaisait encore à son gendre.

35 Le roi fit ainsi construire six magnifiques châteaux, mais le jeune homme ne disait toujours rien.

Le roi finit par se mettre en colère et il décida :

– Je vais faire construire un septième palais et s'il ne convient pas à mon gendre, je le ferai tuer.

40 La Chance et l'Intelligence étaient au courant de toute cette histoire.

– Demain, on va tuer ton ami, dit l'Intelligence.

– Hélas, je ne peux rien faire pour lui, soupira la Chance. Mais toi, tu pourrais l'aider.

45 Elles allèrent trouver le jeune homme, et l'Intelligence lui souffla un conseil à l'oreille. Ainsi, le lendemain, le gendre du roi s'écria en visitant le septième palais :

Quel conseil penses-tu que l'Intelligence a soufflé à l'oreille du jeune homme ? Pourquoi ?

– Voilà enfin un château digne de moi ! Remerciez le roi de ma part. Peu de temps après, le roi voulut connaître les parents et la famille de son gendre. Il avait cherché dans de vieux livres, mais il n'avait trouvé aucun renseignement à leur sujet.

4. Comment s'appelle la science qui consiste à chercher les origines d'une personne ?

– Je t'ai donné ma fille en mariage, dit le roi. Demain, mes conseillers te poseront des questions sur ta famille et ton royaume. Si tu ne leur réponds pas correctement, je serai obligé de te tuer.

Le jeune homme s'éloigna tristement. Si le roi découvrait qu'il n'était qu'un paysan, il le ferait exécuter...

60 En chemin, le jeune homme croisa la Chance et l'Intelligence. Mais ni l'une ni l'autre ne pouvaient l'aider. Alors il s'allongea tristement et s'endormit.

Pendant la nuit, il rêva d'un homme qui lui répéta trois fois :

– Dis la Vérité ! Dis la Vérité ! Dis la Vérité !

65 Le lendemain, le jeune homme gagna le palais du roi. Là, il s'agenouilla et dit toute la vérité. Il parla de ses amies, la Chance et l'Intelligence.

Le vieux roi se réjouit car il avait horreur du mensonge. Il décida que le jeune homme lui succéderait et il fit inscrire 70 ces mots sur les portes de la ville :

« Un homme qui a la Chance et l'Intelligence pour amies et qui aime la Vérité est digne de régner sur le monde entier. »

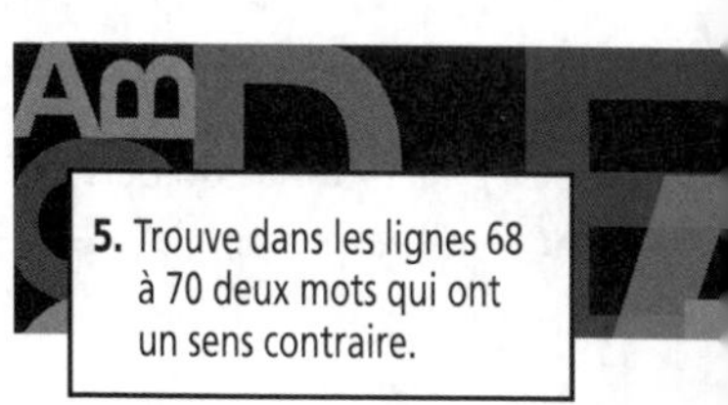

5. Trouve dans les lignes 68 à 70 deux mots qui ont un sens contraire.

Ann Rocard, « Le jeune homme, la Chance et l'Intelligence », *Contes du monde entier*, Éditions Lito, 2001.

APRÈS LA LECTURE

1 Les activités suivantes te permettront de préciser les éléments de l'univers narratif du texte *Le jeune homme, la Chance et l'Intelligence* présentés dans la situation initiale (lignes 1 à 16).

a) Relève l'indice de temps propre aux contes et qui précise quand se déroulent les événements.
b) Dès le début du texte, on connaît les principaux personnages de ce conte. Qui sont-ils ?
c) Classe ces personnages en deux groupes et donne un nom à ces groupes.
d) Cet univers narratif est-il fictif ou vraisemblable ? Justifie ta réponse.

2 Parmi les thèmes de l'encadré, lequel est développé dans ce conte. Explique ton choix.

• amour • abandon • quête d'identité • honnêteté

3 Au début du conte, comment la Chance récompense-t-elle le jeune homme de l'avoir choisie comme meilleure amie ?

4 a) Pourquoi le jeune homme reste-t-il muet devant les six premiers palais construits pour lui par le roi ?
b) Quelle conséquence cette réaction a-t-elle ?
c) Comment la Chance et l'Intelligence viennent-elles en aide au jeune homme ?

5 a) Lorsque le roi annonce son intention d'en savoir plus sur la famille du jeune homme, comment ce dernier réagit-il ?
b) Selon toi, qui, de la Chance ou de l'Intelligence, a donné le conseil que le jeune homme a reçu en rêve ? Pourquoi ?

6 Quelles lignes du texte présentent les grandes divisions du schéma narratif ?

Situation initiale
– La Chance devient l'amie du jeune paysan, qui, peu après, trouve un trésor.

Élément déclencheur
– Le jeune homme donne son trésor au roi.

Péripéties
– Le roi marie sa fille au jeune homme.
– Le roi construit six châteaux, et le jeune homme reste muet d'étonnement.
– L'Intelligence conseille au jeune homme de s'exclamer devant le septième château.
– Le roi veut connaître les origines du jeune homme.
– La Chance et l'Intelligence ne peuvent aider le jeune homme.

Dénouement
– Le jeune homme dit la vérité au roi sur ses origines.

Situation finale
– Le roi se réjouit des qualités du jeune homme particulièrement du fait qu'il dise toujours la vérité.

7 À la place du jeune homme, qui aurais-tu choisie pour meilleure amie ? Pourquoi ?

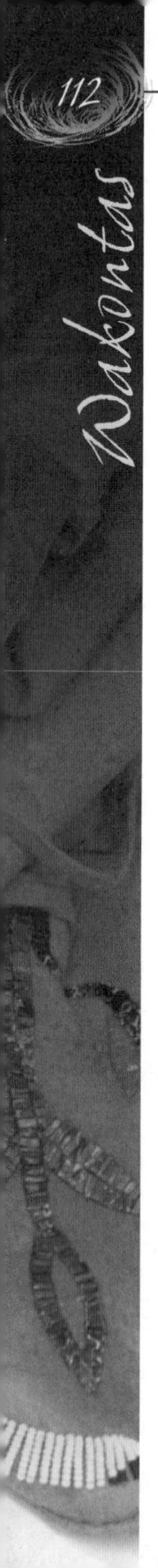
Wakontas

À PROPOS DE Wakontas

Wakontas est une autre histoire tirée du recueil *Contes du monde entier* d'Ann Rocard. On quitte l'Éthiopie pour l'Amérique du Nord, avec cette histoire de la tradition algonquine qui cherche, elle aussi, à donner une leçon de vie à ceux qui la liront ou l'entendront.

Comme dans de nombreux contes, il y sera question de la lutte entre le bien et le mal. Ces deux éléments opposés seront incarnés par deux personnages très typés, Oménée et Miticoosis.

Les personnages seront soumis à une épreuve. Dans un conte ou une légende, on met souvent les personnages principaux dans des situations où ils sont amenés à se dépasser. Il peut s'agir d'une mission, d'un obstacle à franchir, d'une ruse à esquiver. Les héros qui surmontent un défi en sortent grandis et, généralement, obtiennent une généreuse récompense.

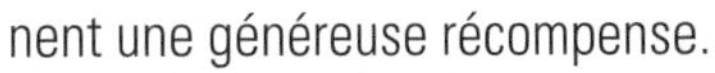

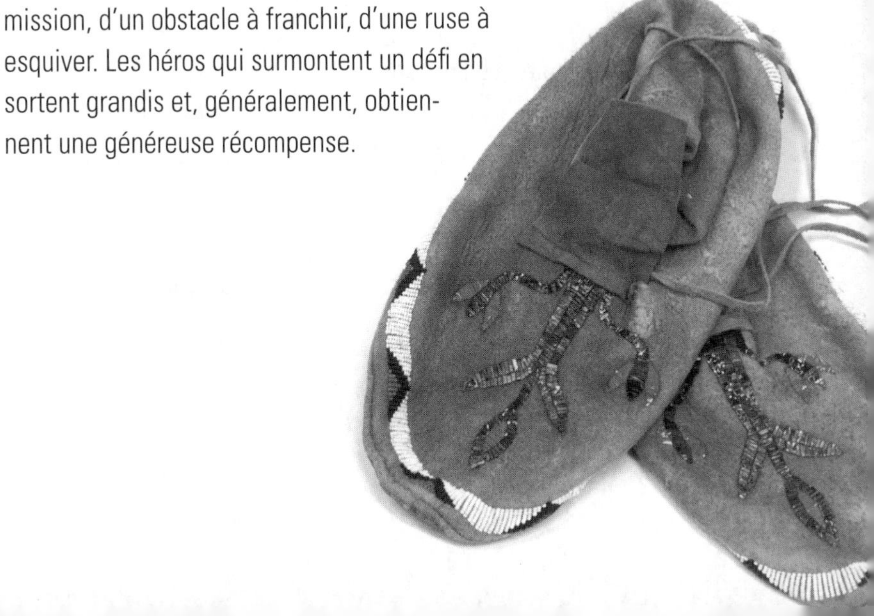

POUR SE PRÉPARER À LA LECTURE

Après avoir lu le texte de la page précédente, réponds aux questions suivantes.

1. Rappelle-toi ce que tu as appris à propos des Algonquins. Quel était leur mode de vie avant la colonisation par les Européens ? Sur quelles parties du territoire habitaient-ils alors ? Partage avec tes camarades ce dont tu te souviens.

2. Cette histoire met en valeur certaines des plus importantes qualités humaines. Fais une liste de cinq grandes qualités humaines et compare-la avec celles de tes camarades de classe.

3. Cette histoire parle aussi des grands défauts humains. Fais une liste de cinq grands défauts et compare-la avec celles d'autres élèves.

4. Dans cette histoire, comme dans bien des contes, les personnages sont très typés. Il y a les bons d'un côté et les mauvais de l'autre. La vie est-elle ainsi faite ? Justifie ta réponse.

Wakontas

ANN ROCARD

Conte d'Amérique du Nord

Au pays des Indiens Algonquins vivaient deux sœurs, Miticoosis et Oménée. Elles étaient aussi belles, intelligentes et habiles l'une que l'autre, mais elles n'avaient pas le même caractère. Oménée était douce, bonne et généreuse. Miticoosis était fière et égoïste. En ce temps-là, Wakonda, le Grand Esprit, vivait avec ses fils dans la région des Grands Lacs. Ces dieux, bons et justes, pouvaient prendre la forme qu'ils désiraient.

> **1.** Quel terme utilise-t-on aujourd'hui pour désigner ceux qu'autrefois on appelait les *Indiens d'Amérique* ?
>
> **2.** Relève dans le premier paragraphe des antonymes qui servent à décrire les deux sœurs.

Wakontas, l'un des fils du Grand Esprit, voulait épouser une jeune fille des tribus indiennes de la région. Il se transforma donc en chasseur, prit son arc et son **carquois**, et se mit en route.

3. Qu'est-ce qu'un *carquois*?

C'est ainsi qu'il arriva au village des deux sœurs. Elles étaient si belles qu'il en tomba aussitôt amoureux.

« Laquelle choisir ? » se demandait Wakontas. Et il décida de mettre leur bonté à l'épreuve.

Il demanda la main d'une des deux jeunes filles, sans préciser laquelle, en remettant à leur père la **dot** demandée : des peaux de renne, des peaux de buffle et un cheval. Puis il partit chasser avec d'autres chasseurs.

4. Définis le mot *dot* d'après le contexte.

Quelques jours plus tard, un vieil Indien arriva au village. Il avait l'air pauvre et malade. Il s'arrêta devant l'entrée du **wigwam** où les deux sœurs étaient en train de tisser et de broder.

5. Décris un *wigwam*.

– Aidez-moi, supplia le vieil homme.

– Va-t'en ! cria Miticoosis en lui jetant une pierre. Les vieux n'ont rien à faire sur terre ; ils devraient mourir et nous laisser tranquilles.

– Excusez ma sœur, dit Oménée. Entrez dans notre wigwam. Allongez-vous sur ces peaux de bête et reposez-vous.

Miticoosis continuait d'insulter le pauvre vieillard. Oménée essaya en vain de la faire taire, puis elle offrit au vieil homme à boire et à manger. Et comme ses chaussures n'avaient plus de semelles, elle lui donna aussi
40 les **mocassins** rouges qu'elle venait de broder.

6. Quelle partie du corps les *mocassins* protègent-ils ?

Après s'être reposé, le vieil Indien remercia Oménée et il quitta le village.

– Revenez me voir, dit la jeune fille. Que vous soyez malade,
45 affamé ou malheureux, vous trouverez ici un abri.

– Tu es ridicule ! ricana Miticoosis.

Les chasseurs devaient revenir le soir même. Tandis que Miticoosis se faisait belle pour plaire à Wakontas, Oménée, vêtue simplement, préparait le repas pour ses parents.

50 Enfin, les chasseurs arrivèrent. Wakontas se dirigea vers le wigwam des deux sœurs, fort surprises... car il portait à ses pieds les mocassins rouges donnés au vieillard.

Il salua Oménée et dit :

– Quand je suis venu sous les traits d'un vieil homme
55 pauvre et malade, tu m'as accueilli et tu t'es occupée de moi. J'ai compris que tu étais bonne. Ta bonté te rend mille fois plus belle que ta sœur. Oménée, c'est toi que j'aime.

Miticoosis roulait des yeux furieux. Elle était jalouse et honteuse. Wakontas se tourna alors vers elle :

60 – J'ai compris aussi que ta méchanceté rendrait ton époux malheureux. C'est pourquoi, tu deviendras un tremble, cet arbre dont les feuilles bougent sans arrêt, comme ta langue.

Miticoosis sentit ses pieds qui s'enracinaient dans le sol, ses bras qui devenaient des branches, son corps qui se couvrait 65 d'écorce. Elle ne parlait plus ; sa langue ne bougeait plus sans cesse comme avant... mais mille petites feuilles tremblaient au moindre souffle du vent.

Le bel Indien embrassa Oménée et la rassura :

– Ne crains rien. Je suis Wakontas, l'un des fils de Wakonda. 70 Je prendrai soin de tes parents et tu pourras venir les voir quand tu le désireras.

Aussitôt tous deux se transformèrent en colombes et ils s'envolèrent vers un pays merveilleux.

Ann Rocard, « Wakontas », *Contes du monde entier*, Éditions Lito, 2001.

APRÈS LA LECTURE

1. Dès le début du texte, un élément fantastique est présenté. Quel est cet élément ?

2. Qu'est-ce qui, dans le premier paragraphe, donnait déjà des indices sur celle qui serait choisie par Wakontas ?

3. a) Quelles qualités les jeunes filles ont-elles en commun ?
   b) Compare le comportement de chacune des sœurs devant le vieil homme et qualifie-le à l'aide des caractéristiques psychologiques qui les distinguent.

4. a) Quel pouvoir des dieux Wakontas utilise-t-il pour mettre les deux jeunes Amérindiennes à l'épreuve ? Comment le fait-il ?
   b) Comment les deux sœurs découvrent-elles que le vieil Indien est en réalité le beau chasseur qui les avait demandées en mariage?

5. Quels autres éléments fantastiques ce récit contient-il ?

6. Selon toi, vers quel lieu les deux colombes se sont-elles envolées ? Pourquoi ?

7. a) Quelle punition le dieu Wakontas réserve-t-il à Miticoosis ?
   b) Que penses-tu de cette punition ?

8. a) Quelle morale pourrais-tu ajouter à ce texte ?
   b) À quoi servent les morales dans les contes et les légendes ?

JEAN-CLAUDE DUPONT

Jean-Claude Dupont est né au Québec, en 1934. Il est auteur, ethnologue (scientifique qui étudie des groupes de personnes, des ethnies) et dessinateur. Au cours de ses longues années d'études, il a développé un intérêt pour les mythes et les légendes de divers groupes d'Amérique du Nord, dont les Acadiens et les Amérindiens. Il les a répertoriés sous forme de textes et de dessins. Sa production artistique compte plus de 400 tableaux qui ont fait l'objet d'une importante exposition en 2010, au musée Pointe-à-Callière, le musée d'archéologie et d'histoire de Montréal.

Seul ou en collaboration avec d'autres auteurs, il a publié plusieurs ouvrages sur la culture des francophones d'Amérique et des Amérindiens, dont *Mythes et légendes des Amérindiens* (2010).

Du même auteur...
L'artisan forgeron (1979)
Histoire populaire de l'Acadie (1979)
Conte de bûcherons (2002)
Légendes des ancêtres québécois (2008)

À PROPOS DE *La création du blé d'Inde* ET *Pourquoi les érables sont rouges*

Voici deux courts récits rapportés par l'ethnologue Jean-Claude Dupont. L'un provient de la culture des Abénaquis, le second de la culture des Hurons-Wendat, deux peuples amérindiens. Les deux histoires se ressemblent. Ces légendes sont ce qu'on appelle parfois des *contes étiologiques*. Les contes étiologiques sont aussi appelés *contes du pourquoi*, ou *contes explicatifs*. Ils existent dans toutes les cultures. Il s'agit en fait d'histoires qui cherchent à expliquer certains phénomènes naturels ou certaines réalités qui nous échappent. Les études scientifiques étant relativement récentes dans l'histoire de l'humanité, les peuples ont essayé de donner une explication aux grands mystères de la nature. Croyaient-ils vraiment à leurs explications du monde ? Peut-être pas. Ces contes étiologiques agrémentaient les soirées sans télé et comblaient un vide que les connaissances de l'époque n'arrivaient pas à combler.

Voyons maintenant comment ont été inventés le récit de l'apparition du maïs sur terre et celui expliquant pourquoi les feuilles changent de couleur à l'automne.

POUR SE PRÉPARER À LA LECTURE

Après avoir lu les textes des pages précédentes, réponds aux questions suivantes.

1 Que sais-tu des peuples abénaquis et huron, les créateurs des deux légendes étudiées ici ?

2 Dans la culture québécoise, les épluchettes de blé d'Inde sont des moments de grande fête. Que dirais-tu à une personne arrivant d'Europe qui voudrait savoir pourquoi le blé d'Inde est un aliment important dans notre culture culinaire ?

3 Tu connais le blé d'Inde. Pourquoi l'appelle-t-on ainsi ? Formule des hypothèses sur la présence du mot *Inde* dans ce terme.

4 Les deux contes amérindiens présentés ici sont des contes du pourquoi. Quels sont les autres textes du présent recueil qui ont un objectif semblable, soit répondre à une interrogation ? Si tu n'as pas encore lu les autres histoires, sers-toi de la table des matières pour repérer ces textes.

5 Plusieurs autres phénomènes pourraient s'expliquer dans un conte étiologique. Par exemple : Pourquoi le rocher de Percé est-il percé ? Trouve d'autres exemples.

La création du blé d'Inde

JEAN-CLAUDE DUPONT
Conte abénakis

Il y avait déjà quelque temps que les Amérindiens avaient été créés, mais l'un d'eux s'était toujours retrouvé seul. Il ne connaissait pas l'existence du feu et il se nourrissait de racines et de noix.

5 Il finit par s'ennuyer, puis il perdit l'appétit. Finalement, il s'étendit sur le sol, pensant qu'il était mieux de se laisser mourir plutôt que de n'avoir rien de bon à manger et ne pas avoir de femme pour lui préparer sa nourriture.

Plus tard, lorsqu'il se réveilla, il aperçut une belle femme aux cheveux brillants qui se tenait près de lui. Mais, quand il voulut lui parler, elle s'éloigna. Puis, peu à peu, la femme s'approcha et lui dit : « Si tu fais ce que je te dis, je resterai avec toi. »

La femme le conduisit alors dans une clairière d'herbes sèches et elle lui montra comment frotter un bâton sur une pièce de bois, jusqu'à ce qu'il en **jaillisse** des étincelles et que le feu s'étende

1. Trouve l'infinitif du verbe conjugué *jaillisse*, puis le nom de la même famille.

aux herbes. Puis elle lui dit: «Lorsque le soleil se couchera, traîne-moi par les cheveux sur le sol brûlé et il en jaillira de gros grains de blé jaune enveloppés dans des cheveux semblables aux miens.»

L'homme s'y objecta, disant qu'il ne voulait pas faire de mal à une si belle créature envoyée par les esprits, mais devant l'insistance de la femme, il finit par accepter la proposition. «Lorsque les grains seront jaunes, dit-elle, tu pourras en manger **à satiété**, mais il faudra toujours en conserver pour faire la semence suivante. Sinon, la disette reviendra et la Mère qui a tiré ce blé des entrailles d'une rivière sera **affligée.**»

2. Remplace l'expression *à satiété* par une expression synonyme.

3. Trouve un synonyme du mot *affligée*.

L'homme fit tout ce que la femme lui avait proposé et il cueillit tout le blé d'Inde nécessaire à sa nourriture. Sa femme lui apprit aussi à en échanger avec d'autres familles, et chaque année depuis ce temps-là, au moment de consommer la récolte de **blé d'Inde**, on remercie la belle femme aux cheveux brillants.

4. Par quel mot peut-on remplacer le terme *blé d'Inde*?

Jean-Claude Dupont, «La création du blé d'Inde», *Mythes et légendes des Amérindiens*, Les Éditions GID, 2010.

APRÈS LA LECTURE

1 a) Quelles sont les caractéristiques du personnage principal présenté dans le premier paragraphe ?
b) Selon toi, que pourrait-il souhaiter pour améliorer son sort ?
c) Comment se sent-il ?

2 a) Quelles améliorations la femme aux cheveux brillants apporte-t-elle dans la vie de l'Amérindien ?
b) Les méthodes qu'elle a utilisées pour enseigner ces améliorations te semblent-elles vraisemblables ? Pourquoi ?

3 Résume en une phrase chacun des trois éléments suivants du schéma narratif.

Situation initiale :
Élément déclencheur :
Situation finale :

Pourquoi les érables sont rouges

JEAN-CLAUDE DUPONT
Conte huron-wendat

Longtemps avant la venue des Européens au Canada, les animaux parlaient et travaillaient comme des humains. Aussi, lorsqu'ils se rencontraient, ils se demandaient souvent comment ils pourraient bien aller dans le ciel pour voir quels animaux s'y trouvaient.

1. Relève une comparaison dans les lignes 1 à 6.

La tortue, la première, réussit à s'y rendre et oublia ses parents, ne revenant sur terre que pour assister aux réunions au temps des récoltes. Le chevreuil, qui voulait aussi aller au ciel, finit par recevoir la promesse qu'Arc-en-ciel lui construirait un pont **multicolore** sur lequel il marcherait jusqu'à ce qu'il arrive là où vivait la tortue.

2. Explique la composition du mot *multicolore* de manière à en présenter le sens.

3. Quelle métaphore contenue dans les lignes 7 à 16 sera utilisée tout au long du texte ?

Chevreuil partit donc un jour vers le ciel sans avertir ses amis, et, contrairement à la tortue, il ne revenait même plus sur terre pour assister aux réunions annuelles des autres animaux. 20 Aussi, l'ours, bien insulté du comportement du chevreuil, se promit de le punir quand il le rencontrerait.

L'automne suivant, lorsque Arc-en-ciel réapparut dans le firmament, tous les autres animaux se dépêchèrent de monter dessus pour se rendre au ciel. L'ours, qui ouvrait la marche, fut 25 reçu au ciel par Chevreuil, mais la réception prit une mauvaise tournure lorsque l'ours abîma Chevreuil de bêtises, l'accusant d'avoir abandonné ses amis et de n'être jamais revenu les visiter.

Chevreuil, qui avait pris confiance depuis son départ, 30 bondit en projetant son panache contre l'ours pour le jeter en bas d'Arc-en-ciel. Ils se battirent vigoureusement et les deux animaux saignaient de partout lorsque le loup réussit à les calmer. Les **belligérants** léchèrent leurs blessures, mais le chevreuil 35 avait perdu ses bois et des gouttes de sang tombèrent sur terre, colorant les feuilles des arbres. Depuis ce temps-là, l'ours et le chevreuil sont devenus des ennemis et, chaque automne, les feuilles des arbres rougissent et les chevreuils perdent leur 40 panache.

4. Des *belligérants* sont-ils des amis ou des adversaires ?

Jean-Claude Dupont, « Pourquoi les érables sont rouges », *Mythes et légendes des Amérindiens*, Les Éditions GID, 2010.

APRÈS LA LECTURE

1. a) Quelle est la nature des personnages de ce texte ?
   b) Quelle est leur quête ?
   c) Quel moyen utilisent-ils pour satisfaire leur quête ?

2. a) Pourquoi l'ours s'en prend-il au chevreuil ?
   b) Que se passe-t-il durant la bataille au ciel entre l'ours et le chevreuil?

3. Quelles conséquences cette bataille a-t-elle eu sur la vie terrestre ?

ÉTUDE COMPARATIVE

1 a) Pourquoi crois-tu que les légendes existent ? À quel besoin répondent-elles?

b) Quels phénomènes veut-on expliquer dans les deux légendes que tu viens de lire ?

2 Quelle ressemblance et quelles différences existe-t-il entre l'univers narratif des deux textes en ce qui a trait au lieu, au temps et aux personnages ?

3 Relève à la fin de chaque texte l'expression identique qui conclut l'explication.

4 Quel thème commun est présenté dans les deux textes ? Justifie ta réponse.

• l'amour • la nature • la vie

DIDIER DUFRESNE

Auteur français né en 1957, il commence à écrire en 1975, pour ses élèves d'abord. En 1992, il publie son premier livre, *Max le zappeur*, et écrit ensuite une trentaine d'autres ouvrages destinés aux enfants de moins de 12 ans. Parallèlement à ce travail de création, il collabore avec des magazines de presse.

Didier Dufresne a enseigné jusqu'en 1995. Depuis, en plus d'animer des ateliers d'écriture, il se consacre à l'écriture d'albums, de courts romans et d'ouvrages documentaires. L'humour et le rêve sont les thèmes favoris de cet auteur. Il s'est aussi intéressé au folklore d'autres pays, publiant notamment des albums sur le Vietnam et le Tibet.

Du même auteur…

Conte de Chine (2007)
Conte du Tibet (2008)
3 contes d'Asie (2010)

À PROPOS DE *L'origine du moustique*

Les contes du pourquoi, ou contes étiologiques (voir la définition de ce type de conte à la page 121 de ce recueil), sont universels. On les retrouve dans toutes les cultures. Le prochain texte nous transporte au Vietnam, pays d'Asie du Sud-Est dont l'histoire est d'une richesse inépuisable. Ici, on est plongé dans un temps où il n'y avait pas d'insectes piqueurs. On y apprend comment sont nées ces petites bestioles et d'où vient leur intérêt pour le sang des humains.

Les composantes traditionnelles d'un conte merveilleux sont bien présentes dans ce court récit : il y a un mariage, un génie, une trahison et une métamorphose. Et que dire du voyage de découverte que nous fait faire ce texte ! La fonction d'un conte n'est-elle pas de nous faire sortir de notre quotidien ? Voilà pourquoi il est si intéressant de lire des histoires d'Asie, d'Afrique, des Caraïbes ou d'ailleurs.

POUR SE PRÉPARER À LA LECTURE

Après avoir lu les textes des pages précédentes, réponds aux questions suivantes.

1 Quand tu penses au Vietnam, quelles images te viennent en tête ?

2 À ton avis, pourquoi cette histoire de moustique peut-elle intéresser les lecteurs d'Amérique ?

3 Voici un fait étonnant : le moustique est l'animal le plus meurtrier de la planète. Pourquoi, à ton avis ?

4 Dans cette histoire, un personnage est transformé en animal. Nomme d'autres œuvres littéraires ou cinématographiques dans lesquelles des personnages subissent une telle transformation.

5 Dans ce conte, on fera aussi la rencontre d'un génie. D'après ta connaissance des histoires fantastiques, quel rôle jouent les génies auprès des personnages principaux ?

6 Si tu avais à explorer le folklore d'un pays par la lecture de ses contes et légendes, le folklore de quel pays choisirais-tu ? Justifie ton choix.

L'origine du moustique

DIDIER DUFRESNE
Conte du Vietnam

Dans cette région lointaine du Vietnam, on disait que Nhan Diêp était sans doute la plus jolie fille du pays. Il est vrai qu'elle était fort belle et les **prétendants** ne manquaient pas. Pourtant, Nhan Diêp les repoussait tous.

1. Définis dans tes mots ce qu'est un *prétendant*.

5 – Je ne veux pas finir ma vie dans ce village de paysans aux mains sales, disait-elle à ses

parents. Un riche personnage finira bien par demander ma main et m'emmènera loin d'ici.

10 La jeune fille **n'était guère courageuse**. Elle aimait le luxe et espérait la fortune. Hélas, elle attendit en vain. Il faut dire **qu'il ne passait que peu** de voyageurs 15 dans le pays. Le temps s'écoulait et elle était toujours seule.

> **2.** Remplace *n'était guère courageuse* par une forme positive qui a le même sens.
>
> **3.** Reformule à la forme positive *qu'il ne passait que peu* tout en conservant le sens de la phrase.

– Il te faut un mari, insistaient les parents. Nous sommes vieux et ne pourrons pas toujours nous occuper de toi.

Nhan Diêp se résigna enfin à épouser Tâm, un jeune pay-20 san du village. Tâm était amoureux d'elle depuis qu'ils étaient

enfants. Nhan Diêp savait qu'il lui obéirait et ferait tout pour lui être agréable.

Tâm fut en effet un époux dévoué. Il travaillait sans relâche dans son champ, s'occupait des corvées du ménage, économisait sou à sou pour offrir de petits cadeaux à sa femme... Mais malgré tout son amour, il ne put chasser les rêves de richesse et de luxe de son épouse. Le caractère de Nhan Diêp devint détestable. Elle accablait Tâm de reproches et s'enfermait de longues heures dans sa chambre, refusant les repas que lui préparait son mari. Bientôt elle tomba malade et malgré les soins dont l'entoura Tâm, mourut en quelques semaines.

Le chagrin de Tâm fut immense. Il refusa qu'on enterrât sa femme, vendit sa maison, ses champs et son buffle pour la couvrir de fleurs. Puis il acheta un **sampan**, y installa le corps de son épouse et se laissa porter par les flots.

4. Définis, d'après le contexte, ce qu'est un *sampan* et relève les mots ou groupes de mots qui t'ont permis de le définir.

Il dériva ainsi pendant plusieurs jours, inconsolable, le visage baigné de larmes.

Le sampan s'échoua sur un banc de sable. La rive était plantée d'arbres extraordinaires, couverts de fruits. Des perruches au plumage multicolore et de minuscules **gobe-mouches** se perdaient

5. a) Explique la composition et le sens propre du mot *gobe-mouches*.
b) Ce mot a aussi un sens vieilli. Lequel ?

entre leurs branches dans un froissement d'ailes. Tout dans cet endroit respirait le calme et la **sérénité**. Tâm aperçut un vieil homme aux cheveux blancs et à la longue barbe. Il était assis sur un rocher et le regardait. Son visage rayonnait d'une étonnante bonté et Tâm comprit que c'était un génie qui se tenait devant lui. Il se jeta à ses pieds et l'implora :

6. Donne un synonyme du mot *sérénité*.

– Vénérable Envoyé du Ciel, je t'en supplie, rends la vie à mon épouse Nhan Diêp. Sans elle, je ne suis plus rien...

Le génie prit le brave paysan en pitié.

– Je vais exaucer ton vœu, car ton amour et ta peine sont sincères, dit-il. Voici ce que tu vas faire...

Le génie demanda à Tâm de se couper le bout du doigt et de faire couler trois gouttes de sang sur sa femme.

– Et si un jour tu regrettes ta décision, exige qu'elle te rende ce que tu lui as donné, ajouta-t-il.

Que penses-tu que Tâm pourrait réclamer à Nhan Diêp si jamais il regrettait sa décision ? Pourquoi pourrait-il regretter sa décision ?

Tâm n'hésita pas une seconde. Il sortit son couteau et s'entailla le bout du doigt. Trois gouttes de sang tombèrent sur

65 le front de Nhan Diêp qui ouvrit aussitôt les yeux. Tâm voulut remercier le génie, mais celui-ci avait déjà disparu.

Le jeune homme se pencha alors sur sa femme revenue à la vie et la couvrit de baisers. Celle-ci reprenait rapidement des forces tandis que Tâm lui expliquait ce qui s'était passé.

70 – Je te remercie pour ce que tu as fait, lui dit-elle, et je te promets de t'aimer toujours.

Le bonheur se lisait sur le visage de Tâm. Il avait retrouvé celle qu'il aimait et rien ne pourrait les séparer.

– Rentrons chez nous, dit-il.

75 Le voyage du retour fut très long, il fallait remonter le courant et le sampan n'avançait que difficilement. Après plusieurs jours de voyage, Tâm dut s'arrêter à un **marché flottant** pour acheter des provisions. Pendant qu'il discutait le prix des 80 pastèques sur la barque d'un commerçant, le bateau d'un riche marchand vint s'amarrer près du sampan. Nhan Diêp était accoudée au bastingage et le marchand fut frappé de son incroyable beauté. Il engagea la conversation et la jeune femme 85 oublia serments et promesses. En quelques minutes, l'homme réussit à la convaincre de monter à son bord et de le suivre dans son lointain pays. Là-bas, il l'installerait dans sa maison qu'il décrivait comme un palais luxueux.

7. À quoi ressemble un *marché flottant*?

Quand Tâm remonta dans le sampan avec une pastèque, il ne trouva plus sa femme. Il chercha partout, appela, pensa qu'elle était tombée à l'eau... Une vieille femme s'approcha, debout sur sa barque.

– Celle que tu cherches est partie dans le grand bateau, lui dit-elle en montrant un petit point au loin sur le fleuve.

Tâm sentit le désespoir l'envahir. Sa femme, à peine revenue, avait disparu. Il pensa qu'elle avait été enlevée et partit aussitôt à sa recherche. S'il avait réussi à lui rendre la vie, qui l'empêcherait maintenant de la retrouver...

Le jeune homme se mit en route sans tarder. Hélas, le bateau du marchand était bien plus rapide que le lourd sampan. Tâm le vit disparaître à l'horizon. Mais il n'était pas homme à abandonner. Il débarqua dans la plus grande ville du Sud et une fois à terre interrogea tous ceux qui auraient pu voir passer Nhan Diêp et ses **ravisseurs**. On lui donna volontiers des renseignements, tous plus vagues les uns que les autres. Personne en fait ne semblait avoir aperçu sa femme.

8. Trouve un mot de la même famille que le mot *ravisseurs* :
a) lié par le sens.
b) non lié par le sens.

– Il me semble... Je crois... Peut-être par là... Allez voir là-bas... disaient les gens.

Tâm ne négligea aucune piste. Il se rendit dans tous les quartiers, explora les villages, s'essouffla sur des sentiers de

montagne, s'enfonça dans les forêts... Ses recherches duraient depuis des mois et il ne se décourageait pas.

115 Enfin, il retrouva la trace de sa femme. Elle habitait une somptueuse villa sur une colline, en dehors de la ville. Tâm s'approcha de la maison, n'osant se montrer de peur d'être chassé par ceux qui avaient enlevé sa femme. Il grimpa sur un arbre qui surplombait le mur du jardin et attendit. Il finirait 120 bien par voir quelque chose...

Le jeune homme était depuis un bon moment déjà perché sur son arbre quand une silhouette apparut au détour d'une allée. 125 Cette taille fine, cette démarche gracieuse, Tâm ne les avait pas oubliées. Celle qui avançait sur le chemin, c'était sa femme! Elle portait une longue robe de soie richement brodée d'or.

9. Relève dans les lignes 115 à 139 des mots qui révèlent le contraste entre la vie actuelle de Nhan Diêp et celle de son passé.

Ses cheveux étaient soigneusement relevés en chignon et elle abritait du soleil son visage poudré sous une ombrelle de papier de riz.

– Nhan Diêp ! appela-t-il doucement.

La jeune femme s'approcha, reconnut son mari et lui demanda :

– Qu'est-ce que tu fais là-haut ?

– Je suis venu te chercher, murmura Tâm.

– Va-t'en ! s'écria Nhan Diêp. Ma vie est ici maintenant. Jamais je ne retournerai au village, patauger dans la boue au milieu des cochons.

Cette fois, Tâm avait compris. Il était guéri de cet amour qui lui avait apporté plus de peine que de bonheur. Il se souvint alors des mots du génie.

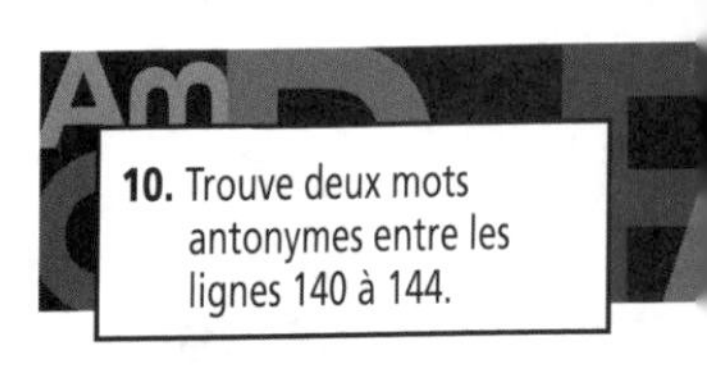
10. Trouve deux mots antonymes entre les lignes 140 à 144.

– Tu es libre de me quitter, dit-il, mais tu dois me rendre les trois gouttes de sang que j'ai versées pour te ramener à la vie.

– Si ce n'est que cela, ricana la jeune femme, rejoins-moi près de l'entrée.

150 Nhan Diêp poussa le lourd battant de la porte d'entrée. Elle était contente de se **débarrasser** enfin de son paysan de mari. Ces trois gouttes de sang, elle les lui donnerait volontiers. Et qu'il disparaisse enfin de sa vie !

155 Tâm plongea son regard dans les yeux de Nhan Diêp. Pour la première fois, il n'y vit que le reflet de son malheur. Il tendit la main :

> **11.** a) Explique la formation du mot *débarrasser*.
> b) Modifie le préfixe de ce mot pour en former un nouveau.
>
> **12.** À quelle expression contenant le mot *yeux* te fait penser le texte des lignes 155 à 158 ?

– Rien que trois gouttes, murmura-t-il.

160 Nhan Diêp tira une longue épingle de son chignon et se piqua le doigt. À peine la troisième goutte de sang avait-elle étoilé la paume de son mari que sa femme tomba morte.

Ainsi en avait décidé le génie.

L'histoire ne dit pas si Tâm connut le bonheur, mais on 165 raconte que l'âme de Nhan Diêp, elle, ne put trouver le repos. Chaque nuit elle se transformerait en insecte, espérant reprendre à Tâm les trois gouttes de sang qui lui rendraient la vie.

Nhan Diêp serait donc, dit-on, le premier des moustiques...

Didier Dufresne, *Contes du Viêt-Nam*, Éditions Vilo jeunesse, 2009.

APRÈS LA LECTURE

1. a) Dans la situation initiale du récit (lignes 1 à 31), repère les principaux éléments de l'univers narratif : le lieu, l'époque et les personnages.

   Lieu : //
   Époque : //
   Personnages : //

   b) Décris dans tes mots les personnages principaux.

2. a) Quel événement est l'élément déclencheur ? Comment s'est-il produit ?
   b) Que fait le héros à la suite de cet événement ?
   c) Au Québec, est-il possible de se promener avec le corps d'une personne morte comme l'a fait Tâm avec le corps de son épouse ? Pourquoi ?
   d) Que penses-tu de l'action posée par Tâm ?

3. a) Comment le fantastique est-il représenté dans ce conte, et sous quelle apparence se manifeste-t-il ?
   b) Quel pouvoir a-t-il ?
   c) Quel conseil Tâm reçoit-il ?
   d) Pourquoi le génie donne-t-il ce conseil à Tâm, selon toi ?

4. a) Quelle construction de phrase (subordination, juxtaposition, coordination, etc.) utilise l'auteur dans les lignes 111 à 114 pour énumérer les démarches de Tâm afin de retrouver Nhan Diêp ?
   b) Quel effet cette construction de phrase a-t-elle sur les lecteurs ?

5 On trouve une séquence descriptive dans les lignes 99 à 108.

a) Que décrit-on ?
b) Que remarques-tu dans le choix du temps verbal ?

6 Pourquoi le narrateur utilise-t-il le mot *ravisseur* alors qu'on sait que Nhan Diêp n'a pas été enlevée ?

7 Quelle formule est utilisée pour justifier la mort de Nhan Diêp ?

8 Rédige une phrase pour résumer chaque étape du schéma narratif de ce récit.
Situation initiale (lignes 1 à 29) : ////////////////////////////////////
Élément déclencheur (lignes 30 et 31) : ////////////////////////////
Péripéties (lignes 32 à 139) : //
Dénouement (lignes 140 à 163) : ////////////////////////////////////
Situation finale (lignes 164 à 168) : //////////////////////////////////

9 Explique pourquoi le texte est intitulé *L'origine du moustique.*

10 Pourquoi penses-tu que l'auteur a écrit une si longue histoire pour arriver à un dénouement expliquant le titre seulement dans les cinq dernières lignes du texte ?

11 De ton point de vue, s'agit-il d'une histoire qui finit bien (comme la majorité des contes) ou mal ?
Justifie ta réponse.

ÉMILE GENEST

Auteur français né en 1850 et mort en 1930, Émile Genest a publié plusieurs ouvrages qui ont donné lieu à de nombreuses rééditions, tellement ils ont été populaires. Plusieurs de ses livres sont consacrés aux dictons et aux proverbes, deux formes d'expression qui le passionnaient.

Son recueil *Contes et légendes mythologiques* devait faire partie d'une collection qui a été abandonnée. Malgré cela, cet ouvrage sert encore aujourd'hui de référence dans plusieurs écoles de la francophonie.

Du même auteur...
Les belles citations de la littérature étrangère (1927)

À PROPOS DE *Le Chaos et Vulcain*

Le Chaos et *Vulcain* sont deux extraits du livre *Contes et légendes mythologiques,* qui présentent les récits probablement les plus anciens du présent recueil. Il s'agit d'histoires associées de la mythologie greco-romaine.

La mythologie rassemble un grand ensemble d'histoires qu'un peuple ou une civilisation tienne pour vraies. Avec le temps, cet ensemble d'histoires peut former une seule grande histoire qui permet d'expliquer presque tous les mystères du monde. Ainsi, une famille de dieux, de héros incarne les grandes forces de l'Univers. Dans la mythologie, on associe souvent des personnages à des éléments de la nature, comme le feu ou les océans, à des sentiments, tels la colère, l'amour ; ou même à des événements, par exemple la guerre.

Ces récits de dieux ont pris une importance telle dans la vie des gens qu'on a construit des temples pour vénérer ces personnages. Les Grecs et les Romains, qui ont développé successivement des civilisations très puissantes, ont des mythologies qui se ressemblent beaucoup. La raison en est simple : la mythologie romaine s'inspire largement de celle des Grecs. Vénus, Neptune, Jupiter sont des noms de dieux romains que tu as sûrement déjà entendus tout comme ceux d'Aphrodite, de Poséidon, de Zeus qui sont les mêmes dieux, mais chez les Grecs. Dans son ouvrage, Émile Genest précise qu'il a privilégié les noms latins (romains) des dieux parce qu'ils sont plus familiers en France, il ne faut donc pas s'étonner que Jupiter (dieu romain) vive au sommet de l'Olympe (montagne de la Grèce) !

POUR SE PRÉPARER À LA LECTURE

Après avoir lu les textes des pages précédentes, réponds aux questions suivantes.

1. Tu as sans doute remarqué que les planètes de notre système solaire, si on exclut la Terre, portent le nom de personnages de la mythologie romaine. Identifie ces sept personnages et explique leur rôle dans la mythologie. Fais une recherche dans Internet ou dans un dictionnaire des noms propres, au besoin.

2. Dans ce texte, il sera question du personnage de Vulcain. À quoi ce nom te fait-il penser ?

3. Certaines personnes vouent un culte à des êtres humains ou à des activités. Par exemple, elles vouent un culte à un sport professionnel de la même manière que les Grecs et les Romains vouaient un culte aux dieux de la mythologie. Pour elles, les arénas sont des temples ; les joueurs, des demi-dieux. La consommation est aussi considérée comme un culte, avec ses temples que sont les centres commerciaux. Certaines personnes vouent un culte à un chanteur ou à une actrice, collectionnant tout ce qui peut avoir un lien avec cette personne. Es-tu d'accord avec ces comparaisons ? Justifie ta réponse.

4. On compare parfois les personnages de superhéros du 20e siècle aux personnages de la mythologie. Pourquoi ?

Le Chaos et Vulcain

ÉMILE GENEST

LE CHAOS

Avant la naissance du monde – **de notre monde** – il n'y avait rien ; ou, s'il y avait quelque chose, ce quelque chose était un amas informe, grossier et confus. On ne pouvait **décemment** prétendre l'offrir aux divinités futures comme champ d'évolution. Heureusement interviendra une formidable Puissance dont ne nous sont révélés ni le nom ni le berceau. Qu'il nous suffise d'accepter sans contrôle qu'elle avait une force surnaturelle et contentons-nous d'une simple affirmation.

1. De quel *monde* s'agit-il ?
2. Remplace l'adverbe *décemment* par un adverbe synonyme selon le contexte.

Cette Puissance n'admit pas que la situation puisse durer et résolut de mettre de l'ordre dans le désordre, nommé *Chaos*. En un instant, elle sépare les éléments contraires, réunit les uns, écarte les autres et présente à nos yeux le Ciel, parsemé d'étoiles, la Terre sur laquelle nous serons appelés à vivre et les Mers qui l'enserreront de tous côtés ; l'ensemble enveloppé d'air et de lumière. Voilà l'Univers constitué[1]. On aura désormais toute liberté pour placer et animer à loisir les innombrables personnages de la **Mythologie**, sur Terre, dans l'Air et sous les Eaux.

3. Trouve le sens du mot *mythologie* en expliquant sa composition.

L'auteur présente ensuite chacun des personnages importants des grandes mythologies, dont Vulcain.

VULCAIN

De l'union de Jupiter et de Junon naquit un fils. L'enfant était sain, solide, vigoureux. Oui, mais il n'était pas beau ; il était même laid, très laid ; à ce point que les parents se consultèrent pour ne pas avoir sous les yeux un être sorti de leur sang et si contraire à l'esthétique.

La délibération ne fut pas longue. Ils se regardèrent et se comprirent : on le chasserait du ciel. Aussitôt conçu, le plan est exécuté. Le malencontreux enfant, nommé Vulcain, est projeté sur la terre. Par qui ? Par le père ou par la mère ? On n'est pas

---

1 L'Univers constitué et ainsi ordonné est désigné en grec par le terme *cosmos*.

fixé. Le certain, c'est qu'il tourbillonna toute une journée dans les airs pour choir, au crépuscule, dans l'île de Lemnos.

[...]

On ne sera pas surpris qu'en tombant d'une pareille hauteur, il se soit cassé la jambe. De braves femmes habitaient l'île ; elles recueillirent l'envoyé **céleste**, le soignèrent et le guérirent, mais ne purent remettre ses jambes d'égale longueur. Vulcain resta boiteux.

> **4.** Quel est le nom de la même famille que l'adjectif *céleste* ?
>
> **5.** Que signifie l'expression *mal partagé* dans ce contexte ?

Mal partagé au physique, l'enfant l'était mieux du côté de l'âme et de l'intelligence. Ingénieux et laborieux, voire artiste, Vulcain, se résignant à sa triste condition, prend le métier de forgeron à l'école d'un nain expert en l'art de ferronnerie.

Ses premiers essais se bornent à des colliers, bracelets, parures ; il les offre aux jeunes filles en reconnaissance des bons soins dont elles l'avaient comblé.

D'année en année ses progrès s'accusent rapides. Il s'attaque à des œuvres plus importantes et plus délicates : il offre des flèches à Apollon et garnit le carquois de Diane. Son habileté et son goût s'affirment et lui permettent de concevoir et fabriquer des « pièces » mémorables : un sceptre en or pour Jupiter, une faucille pour Cérès, la cuirasse d'Hercule, l'armure et le bouclier d'Achille. Les dieux ne sont pas oubliés :

55 chacun reçoit un fauteuil mobile qui se rend de lui-même à leur assemblée. Tant d'adresse et d'ingéniosité attendrirent le cœur du maître de l'**Olympe**.

> **6.** Qu'est-ce que l'*Olympe*?
>
> **7.** Remplace l'adjectif *irascible* par un adjectif synonyme.

En somme, Vulcain était son fils, il ne pouvait le nier. Le geste 60 brusque, accompli lors de sa venue au monde dans un moment d'**irascible** vivacité, était regrettable. Pour conjurer le mal produit et dédommager dans la mesure du possible le pauvre estropié, Jupiter le nomme dieu du Feu et Roi des Cyclopes. Il aura de nouveau accès dans 65 l'Olympe dont il fut si cruellement expulsé.

Profitant de la permission, Vulcain regagne l'Empyrée[2], se jette aux pieds de son père et sollicite une épouse. Jupiter promet d'accéder à son désir:

« Mais, dit-il, toutes les déesses sont **pourvues**; une seule 70 reste libre, ma propre fille, Minerve, dont l'aversion pour le mariage est irrévocable. »

> **8.** Que signifie le mot *pourvues* dans le contexte?
>
> **9.** Que désigne un *souterrain séjour*?

Forcé de s'incliner devant cette objection péremptoire, Vulcain retourne au **souterrain séjour**. Il 75 se remet à ses forges, et puisque ses fauteuils pour les dieux ont produit un si heureux effet, il en confectionnera un de sa façon pour sa mère!

2 Partie la plus élevée du ciel, habitée par les dieux.

Tout docile et affectueux fils qu'il veut être, il ne peut oublier l'accueil ironique qu'il reçut à son retour dans l'Olympe de la part des divinités, y compris Junon. Il se met énergiquement à l'œuvre, fait appel à tout son talent et à son génie **vindicatif** et met « sur pieds » un trône magnifiquement orné, digne de l'universelle admiration.

10. Trouve un synonyme de l'adjectif *vindicatif.*

Séduite par la splendeur et l'élégance d'un meuble nouveau, Junon ne peut résister au plaisir d'y prendre place.

Aussitôt installée, la reine des dieux, l'épouse de Jupiter, la mère de Vulcain, subitement enlacée par des liens invisibles, se trouve immobilisée sur son trône. Elle tente de se lever. Efforts superflus. Tous les dieux se réunissent pour l'en détacher, sans plus de succès. Vulcain seul pourra conjurer le **maléfice**. Jupiter le rappelle.

11. a) Qu'est-ce qu'un *maléfice* ?
b) De quel *maléfice* est-il question ?

Le divin forgeron consent à rompre le charme à une condition : la plus belle de toutes les déesses, Vénus en personne, deviendra sa légitime épouse.

Junon recouvra sa liberté, et Vulcain devra se féliciter d'avoir obtenu en justes noces la future mère de Cupidon !

Émile Genest, *Contes et légendes mythologiques*, Nathan, 1991.

APRÈS LA LECTURE

1 Dans le deuxième paragraphe du texte *Le Chaos*:

a) comment l'auteur dit-il que la Puissance a créé le monde à partir du Chaos?
b) quelles opérations cette Puissance a-t-elle faites pour y arriver?

2 a) Qui étaient les parents de Vulcain?
b) Comment était Vulcain à sa naissance?
c) Que firent les parents de Vulcain devant cette situation?
d) Que penses-tu de la manière d'agir des parents de Vulcain? Pourquoi penses-tu qu'ils ont agi ainsi?
e) Comment était Vulcain pendant ses premières années sur l'île de Lemnos?

3 Relève dans les lignes indiquées les différentes manières de désigner Vulcain ou d'y faire référence.

a) ligne 23:
b) ligne 24:
c) ligne 29:
d) ligne 30:
e) ligne 36:
f) ligne 40:
g) ligne 63:
h) ligne 93:

4 a) Que décide Vulcain après s'être résigné à sa triste condition?
b) Qui sont ces jeunes filles à qui Vulcain offre des colliers, des bracelets et des parures? Pourquoi les leur offre-t-il?

5 a) Qui est le maître de l'Olympe ?
b) Pourquoi Jupiter finit-il par reconnaître que Vulcain est bien son fils ?
c) Que fait-il pour bien montrer qu'il reconnaît Vulcain comme son fils ? Pourquoi ?
d) Quelle conséquence importante ce geste a-t-il pour Vulcain ?

6 On peut élaborer un schéma narratif pour la <u>péripétie</u> racontée dans les lignes 66 à 96.

a) Quel est l'élément déclencheur de la péripétie qui suit le retour de Vulcain auprès de son père ?
b) Résume chacune des actions de la péripétie en complétant les énoncés :
– lignes 73 à 84 : Vulcain retourne //////// et fabrique ////////.
– lignes 85 à 92 : Junon est ////////.
c) Quel est le dénouement de cette péripétie ?

7 Dans cette péripétie, relève sept différents termes employés par l'auteur pour désigner Junon ou y faire référence.

8 Les dieux et les déesses ont généralement des pouvoirs surnaturels. Comment ces pouvoirs se manifestent-ils dans l'histoire de Vulcain ?

LLOYD ALEXANDER

Auteur américain né en 1924 et mort en 2007, Lloyd Alexander est un enfant précoce : il apprend à lire à l'âge de trois ans. Ses lectures préférées sont les récits mythologiques, les récits des *Chevaliers de la Table ronde* ainsi que les livres d'aventures *Oliver Twist* de Charles Dickens et *Tom Sawyer* de Mark Twain.

Stationné comme soldat au Pays de Galles pendant la Seconde Guerre mondiale, il se passionne alors pour la culture celtique. De retour aux États-Unis, il se lance dans l'écriture de romans. Il écrit d'abord pour les adultes, mais se tourne rapidement vers la littérature jeunesse, ce qui lui permet de créer des mondes imaginaires dans le style littéraire fantasie. Les personnages de ses histoires sont réfléchis et se remettent souvent en question.

Son œuvre maîtresse, *Les chroniques de Prydain*, qui a connu un grand succès, est constituée d'une série de cinq romans inspirés de l'histoire et de la géographie du Pays de Galles.

Du même auteur…

Le livre des trois (1964)
Le chaudron noir (1965)
La princesse et le charlatan (1986)

D'après son roman *Le chaudron noir* :
Taram et le chaudron magique, Studio Disney (1985)

À PROPOS DE *L'épée Dyrnwyn*

L'épée Dyrnwyn met en scène Rhitta, le roi arrogant de Prydain. Mais où se trouve donc Prydain ? De quelle origine sont les mots *Rhitta* et *Dyrnwyn*, qui stimulent l'imaginaire. Scandinave ? Asiatique ? Amérindienne ? Aucune de ces réponses. Ces mots viennent du folklore du Pays de Galles, dont l'auteur s'est inspiré pour créer cette histoire ancrée dans la plus pure tradition de la fantasie.

Dans la fantasie, la fidélité aux éléments historiques n'est pas essentielle. Le passé n'est qu'un prétexte pour créer un univers de A à Z, pour réinventer le monde, en quelque sorte. Les personnages et les aventures sont au cœur de ce genre d'histoires, qui peuvent aussi présenter des éléments magiques. *Le Seigneur des anneaux* de J. R. R. Tolkien est un bon exemple d'œuvre associée à la fantasie.

POUR SE PRÉPARER À LA LECTURE

Après avoir lu les textes des pages précédentes, réponds aux questions suivantes.

1. L'épée Dyrnwyn est une épée magique. Connais-tu d'autres œuvres qui présentent également des objets dotés de pouvoirs extraordinaires ?

2. Cette histoire met en scène un roi. Quelles caractéristiques attribue-t-on souvent aux rois dans les contes, les mythes et les légendes ?

3. Cette histoire parle de la rencontre entre un roi et un berger. Quelles pourraient être, à ton avis, les caractéristiques de ce berger ?

4. D'après la description que l'on fait de la fantasie, as-tu envie de lire *L'épée Dyrnwyn* ? En d'autres mots, préfères-tu les histoires réelles ou celles qui te transportent dans des mondes imaginaires ? Pourquoi ?

L'épée Dyrnwyn

LLOYD ALEXANDER

C'est lors du couronnement de Rhitta, roi de Prydain, que lui fut offerte en symbole de sa charge la grande épée Dyrnwyn, la plus belle jamais façonnée. Sa garde était **constellée de pierreries** et sa lame forgée selon une technique au secret depuis longtemps perdu. Sur son fourreau étaient gravés ces mots : *Tire Dyrnwyn, toi seulement, homme plein de noblesse, pour régner dans la justice et combattre*

1. a) Quel est le nom de la même famille que le mot *constellée* ?
b) Que signifie ce nom ?
c) Que signifie l'expression *constellée de pierreries* ?

le mal. Celui qui, avec elle, luttera pour une juste cause pourra abattre même le Seigneur de la Mort. On savait fort peu de choses de l'histoire et des origines de Dyrnwyn. Le roi Rhydderch Hael, père du roi Rhych et grand-père de Rhitta, avait été le premier à la porter et la légende voulait qu'elle contînt un charme très puissant. Et Rhitta, à son tour, porta Dyrnwyn en gage de son pouvoir et de la protection qu'il assurait à son royaume.

Un jour, Rhitta et ses nobles partirent pour la chasse. Dans le vif de l'action, Rhitta traversa au grand galop le champ d'un vieux berger nommé Amrys et brisa par accident la barrière du parc à moutons.

Consterné, Amrys s'adressa à Rhitta :

– Ô roi, je vous en supplie, réparez ma barrière. Mes bras sont trop faibles, mes mains tremblent et je n'ai pas la force de planter de nouveaux poteaux pour la reconstruire.

Pressé de reprendre la chasse, Rhitta lui répondit sans réfléchir :

– Berger, c'est là une affaire de peu d'importance. Tu as ma parole que je m'en occuperai.

Ce disant, Rhitta s'aperçut que les nobles l'avaient devancé et il **éperonna** son cheval afin de les rattraper. Il chassa tout le

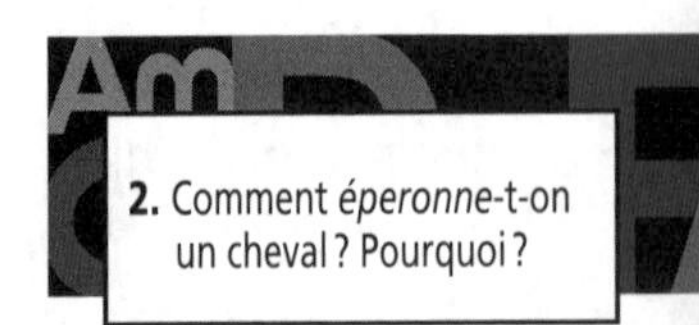
2. Comment *éperonne*-t-on un cheval ? Pourquoi ?

jour et ne revint au château qu'à la tombée de la nuit, fourbu.
35 Ses conseillers l'y attendaient avec des affaires si pressantes et des questions si urgentes qu'il en oublia la promesse faite au berger.

Le matin suivant, cependant, comme Rhitta partait à la chasse au faucon, il découvrit près du grand portail le berger
40 qui tenait un agneau dans ses bras.

– Roi, réparez ma barrière, s'écria Amrys, s'accrochant à l'étrier de Rhitta. Mes moutons se sont enfuis, il ne me reste plus que cet agneau.

– Ne t'ai-je pas donné ma parole ? répondit Rhitta d'un
45 ton vif, mécontent de lui-même pour avoir oublié mais plus mécontent encore de voir le berger le lui reprocher devant ses nobles. Tes soucis sont fort peu de choses et nous les réglerons en temps voulu. Ne m'ennuie plus avec cela.

Au poing du roi, le faucon battit des ailes pour manifester
50 son impatience. Rhitta se dégagea de la poigne du berger, cria à ses compagnons de chasse de le suivre et s'en fut au grand galop.

Ce soir-là, les assiettes pleines et le vin coulant à flots, Rhitta festoyait dans la grande salle. Étourdi par les rires et
55 par les vantardises de ses guerriers, saoulé par la musique des harpistes, Rhitta ne pensait déjà plus à la promesse faite au berger.

Le lendemain, Rhitta siégeait avec ses conseillers et son chef de guerre afin de débattre de questions d'une extrême importance pour le royaume. Au beau milieu du conseil, Amrys repoussa les gardes qui tentaient de le retenir et arriva en clopinant dans la salle du trône avant de tomber à genoux devant le roi.

– Sire, réparez ma barrière, s'écria-t-il en tendant le corps de l'agneau. J'ai reconnu en vous un roi plein de dignité et un

homme juste, mais voici que mes moutons sont perdus et que cet agneau est mort pour avoir trop longtemps attendu sa mère.

– Berger, le réprimanda Rhitta, je t'ai ordonné de ne plus me déranger. Comment oses-tu interrompre le conseil ? De 70 graves affaires sont débattues en ce lieu.

– Sire, répondit le berger, n'est-ce point une chose grave pour un roi que de ne pas tenir sa parole ?

– Comment, berger, tonna Rhitta, oserais-tu dire qu'il en est ainsi ?

75 – Non, Sire, répondit simplement le berger, je vous dis seulement que, pour l'heure, votre promesse n'est pas encore tenue.

Le visage de Rhitta s'empourpra quand il s'entendit ainsi blâmer et il se leva du trône pour répliquer d'un ton de colère :

80 – Prends garde à ta langue, berger ! Oses-tu traiter ton roi de **parjure** ?

3. Qu'est-ce qu'un *parjure* ? Remplace ce mot par un synonyme qui apparaît plus loin dans le texte.

– C'est vous qui prononcez ce mot, Sire, pas moi, répondit Amrys.

Les paroles du berger excitèrent sa colère au point que 85 Rhitta tira sa grande épée et en frappa Amrys. Alors son courroux s'évanouit, et il vit qu'il avait tué le vieillard. Rhitta fut empli de remords, il jeta son arme et se couvrit le visage de ses mains.

Mais ses conseillers s'assemblèrent devant lui et dirent :

90 – Voilà un geste très grave, Sire, mais le berger l'avait cherché. Il vous a insulté de la pire façon qui soit en vous traitant de menteur. Cet affront à Votre Majesté aurait pu susciter la trahison et la rébellion ouverte. Vous ne pouviez agir autrement.

95 Rhitta avait commencé par s'en vouloir, mais les conseillers continuèrent de parler, leurs discours apaisèrent son esprit et il se rangea à leur point de vue. Il oublia alors ses regrets et déclara spontanément :

– Oui, cela m'apparaît tout à fait clairement désormais. Je
100 n'ai fait que mon devoir. Néanmoins, et pour prouver que je n'éprouve aucun ressentiment, veillez à ce que la femme du berger et les membres de sa famille reçoivent chacun une bourse emplie d'or ainsi que les plus beaux béliers et brebis de mon propre troupeau ; et qu'ils ne soient plus jamais dans le besoin.

105 Toute la cour acclama la sagesse et la générosité de Rhitta. Mais, cette nuit-là, dans sa chambre, après qu'il se fut défait de ses armes, il découvrit sur le fourreau étincelant de Dyrnwyn une tache sombre, une tache de sang séché. Il essaya de son mieux de faire à nouveau briller le fourreau, mais la tache
110 sombre demeura.

Le lendemain, le premier conseiller vint le trouver et lui dit :

– Sire, nous aurions volontiers exaucé votre souhait, mais ce berger n'avait ni femme ni famille. Et il n'y a personne pour hériter de ses terres.

115 En entendant ceci, le chef de guerre de Rhitta s'avança vers le roi pour dire :

– Sire, vous avez pour coutume de récompenser ceux qui vous servent loyalement. Auparavant, une terre laissée sans héritiers était donnée à un seigneur. M'offrirez-vous cette propriété ?

120 Rhitta hésita, il envisagea la **requête** du chef de guerre mais pensa aussi à quel point les terres du berger viendraient à accroître son propre domaine. Il dit alors :

4. Remplace le mot *requête* par un synonyme.

– Ce berger m'a fait un affront. Ce n'est que justice que sa
125 terre vienne grossir la mienne.

– Justice ? fit remarquer le chef de guerre. Dans ce cas, la justice du roi sert parfaitement les intérêts du roi.

Irrité, Rhitta s'exclama :

– Il en sera ainsi que je l'ai dit. Comment oses-tu mettre
130 en doute mon jugement ? Critiquerais-tu ton roi ? Réfléchis au sort du berger.

– Menacerez-vous l'un de vos compagnons ? lui lança le chef de guerre, écumant de rage. Sachez-le, Rhitta, c'est à un guerrier que vous avez affaire, et non pas à un vieillard chétif. 135 Et c'est vous, Sire, qui devriez réfléchir.

À ces paroles, Rhitta frappa au visage le chef de guerre et s'écria :

– Va-t'en ! Tu convoites d'autres terres ? Eh bien, pour ton insolence, tes propres terres te sont retirées. Je te chasse de 140 la cour, de mon château et de tout le royaume !

Devant la colère de Rhitta, ni les conseillers ni les nobles n'osèrent contredire le roi. Et le chef de guerre tomba en disgrâce, et son titre fut donné à un autre.

5. Relève dans les lignes 141 à 144 deux mots formés avec des préfixes signifiant « contraire de ».

145 Cette nuit-là, dans sa chambre, après qu'il se fut défait de son épée, Rhitta vit que la tache s'était non seulement assombrie, mais qu'elle couvrait maintenant une bonne partie du fourreau. Il tenta à nouveau de l'effacer. Inquiet, il confia l'arme à ses maîtres armuriers, mais même eux ne parvinrent 150 pas à la restaurer.

Or, à la même époque, de nombreux nobles qui avaient assisté au bannissement du chef de guerre se mirent à discuter à voix basse. Ils **s'ulcéraient** de l'injustice du roi et craignaient que sa colère ne s'abattît également sur eux et ne les dépouillât 155 de leurs terres et de leurs honneurs. Et ils jurèrent de se dresser contre le roi et de le renverser.

Mais Rhitta avait eu vent de leur **dessein** et, alors qu'ils s'assemblaient 160 pour livrer combat, Rhitta et ses guerriers se mirent en marche et les prirent par surprise.

6. a) Quel est le nom de la même famille que le mot *s'ulcéraient* ?
b) Le verbe est-il employé au sens propre ou figuré ?
c) Que signifie ce verbe dans le contexte ?

7. Remplace le mot *dessein* par un synonyme.

Il advint que le champ de bataille ne fut nul autre que le pré d'Amrys, le berger. Et Rhitta, qui se trouvait en tête de ses 165 hommes, poussa un cri d'horreur. Car à ses yeux était apparu le berger, saignant de toutes ses blessures, et qui lui tendait l'agneau.

Ne voyant rien, les guerriers de Rhitta prirent son hurlement pour un cri de guerre. Ils se mirent à charger, massacrant la plupart de leurs opposants et semant la panique parmi le restant.

Rhitta, cependant, avait arrêté son cheval et s'était détourné de la mêlée. Il s'en revint à toute vitesse à son château et s'allongea, tremblant, dans sa chambre, persuadé que le berger lui avait jeté quelque mauvais sort.

Lorsque les guerriers vinrent lui annoncer la victoire et lui demander si c'était une blessure qui l'avait empêché de mener l'assaut, Rhitta n'osa pas leur parler de ce qu'il avait vu. Il préféra leur raconter qu'il était souffrant, en proie à une fièvre soudaine. Mais il ne pouvait chasser le berger de ses pensées.

« Il n'a eu que ce qu'il méritait, se répétait Rhitta. De même que tous ceux qui se sont dressés contre moi. Que leurs terres, à eux aussi, soient confisquées, que leurs biens et leur or viennent grossir le trésor royal. »

Pendant ce temps, la tache grandissait et couvrait pratiquement tout le fourreau. À nouveau, Rhitta commanda à ses armuriers de le nettoyer, mais ils s'en montrèrent incapables.

– Ce métal est pailleux, s'écria Rhitta, et la façon de cette épée est mauvaise !

Dans le même temps, la **gêne** emplit son esprit. Il croyait à présent que l'apparition d'Amrys

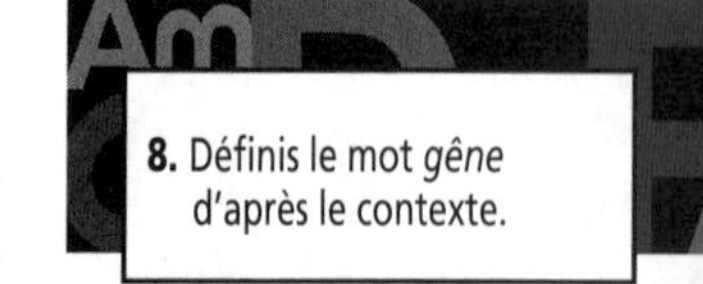

était le présage de nouvelles trahisons. Et il convoqua ses conseillers, son chef de guerre et ses capitaines pour leur dire :

195 – Nos ennemis ne sont pas tous vaincus et le danger qui menace le royaume est encore très grand. Les compagnons de ces traîtres vont certainement chercher à les venger. Il se peut qu'ils complotent contre moi aujourd'hui même. Il se peut aussi qu'ils prennent leur temps et qu'ils attendent l'instant 200 où ils pourront me frapper à l'improviste. Mieux vaut donc que je les écrase avant qu'ils acquièrent de la force et qu'ils s'en prennent à moi.

Et Rhitta ordonna à ses troupes de se tenir prêtes et, à l'aube, de traquer les compagnons des traîtres et de les 205 massacrer.

Cette nuit-là, Rhitta s'agita sur sa couche et s'éveilla bien avant l'aube au son d'une voix qui murmurait dans sa chambre. Il se leva précipitamment, en sueur, terrorisé, pour voir le berger debout au pied de la couche, l'agneau entre les bras. 210 Et Amrys lui dit :

– Souvenez-vous de la barrière brisée, Sire. Souvenez-vous des moutons égarés. Le chemin que vous suivez vous perdra, vous aussi. Pleurez les morts en ayant pitié des vivants.

Le berger aurait poursuivi son discours, mais Rhitta, qui 215 s'en souciait peu, poussa un grand cri et saisit Dyrnwyn en essayant de faire glisser la lame hors de son étui. Mais le fourreau retenait l'arme de ses mâchoires d'acier. Fou de rage et de terreur, Rhitta empoigna l'arme et tira dessus jusqu'à ce que ses doigts fussent ensanglantés. Mais il ne réussit pas à sortir l'épée.

9. Relève dans les lignes 214 à 221 la métaphore qui sert à décrire l'étui de l'épée et explique-la.

Ses gardes accoururent avec des torches, et il leur enjoignit de se retirer, prétextant qu'il avait fait un cauchemar. Mais, au matin, alors que ses guerriers se tenaient auprès de leur cheval en attendant qu'il montât en selle et prît la tête de l'armée, Rhitta fit venir son chef de guerre et lui dit :

– J'ai bien réfléchi, et je vois qu'il ne sied pas à un roi de s'occuper d'une telle affaire. Si je marchais en tête de la troupe, il y en aurait pour dire que j'ai jugé le danger plus grand qu'il ne l'est vraiment ou encore que je ne fais pas confiance à mes officiers. C'est pourquoi je vous laisse agir en mon nom en faisant de votre mieux.

Puis Rhitta se retira dans sa chambre sans oser donner la véritable raison de son recul.

« Il est écrit sur le fourreau de Dyrnwyn *Tire Dyrnwyn, toi seulement, homme plein de noblesse,* se dit Rhitta. Et puisque la lame ne vient pas librement dans ma main, mes guerriers risquent de croire leur roi indigne de gouverner. »

Plus il regardait l'inscription et plus ces mots semblaient le défier. Rhitta émit un juron, il s'empara d'un poignard et tenta

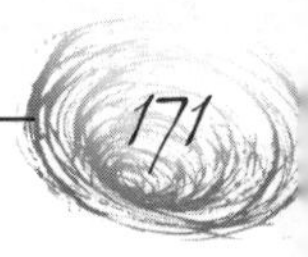

de gratter le message. Il parvint bien à endommager quelques lettres mais la gravure subsista, plus vive encore sur le fourreau. Alors, Rhitta rejeta le poignard. Il serra l'épée contre lui et se coucha, tout tremblant, dans un coin de la chambre, les
245 yeux brillants de fièvre et le regard fou.

À ce moment du récit, Dyrnwyn est souillée de taches, l'épée est coincée dans son fourreau ; et même si Rhitta a tenté d'effacer la gravure, celle-ci n'en est que plus vive. Fais une hypothèse sur les raisons qui expliquent la nouvelle condition de Dyrnwyn.

Son chef de guerre vint bientôt le trouver et lui dit :

– Sire, les compagnons de nos ennemis ont été tués, ainsi que leurs familles, leurs femmes et leurs mères, leurs enfants et tous ceux qui pouvaient avoir un lien quelconque de parenté
250 avec eux.

Rhitta hocha vaguement la tête comme s'il n'avait rien entendu et murmura :

– Vous avez bien fait.

Après quoi, Rhitta regarda de nouveau Dyrnwyn. Elle était
255 devenue entièrement noire.

Cette nuit-là, et bien qu'il dormît derrière des portes solidement barrées, il fut réveillé par des gémissements et, une fois de plus, il vit le berger tourner vers lui un visage tourmenté. Et le berger lui dit :

260 – Sire, trouvez-vous avant que de vous perdre.

Rhitta se boucha les oreilles pour ne pas entendre ces paroles, mais même la venue du jour ne parvint pas à dissoudre son cauchemar et la chambre vide retentissait toujours des gémissements du berger.

265 – Voilà un autre signe, s'écria Rhitta. Un autre signe qui prouve que mes ennemis ne sont pas tous morts. Il faut les trouver et les tuer, ou je perdrai mon royaume.

Il commanda donc à ses troupes de se mettre en quête de tous ceux qui avaient jamais été les amis des compagnons de 270 ses ennemis ; tous ceux qui avaient pu prendre leur parti ; et tous ceux qui ne louaient pas la haute dignité de sa royauté.

Même ceci ne lui apporta pas la paix. Tandis que Rhitta gardait la chambre, ses guerriers parcouraient le royaume en toute liberté, passant bien des hommes par les armes, qu'ils 275 eussent une raison pour ce faire ou non, et pensant plus au butin qu'à une éventuelle trahison. Cependant, au lieu d'insuffler la terreur dans le cœur des ennemis de Rhitta, de tels forfaits ne réussirent qu'à les **courroucer** et à leur donner l'énergie du désespoir. Ceux qui 280 avaient été peu nombreux se levaient maintenant en grand nombre contre le roi. Et au lieu de s'apaiser, les cauchemars de Rhitta se faisaient chaque jour plus

10. Quels mots ne pourraient pas remplacer *courroucer* ?
– choquer
– amadouer
– convaincre

285 terribles. Il craignait de rester seul dans sa chambre, mais craignait aussi de la quitter, certain qu'il y aurait même au milieu de ses gardes une main pour le frapper.

Rhitta ordonna alors qu'on lui construisît sous terre de nouveaux appartements dotés de lourdes portes et d'épaisses 290 murailles. Dans le même temps, il commanda à ses fidèles de se tenir autour de sa couche, l'arme à la main, et de veiller sur lui.

Rhitta en vint à passer chaque nuit dans une nouvelle chambre, et ses conseillers eux-mêmes n'étaient pas certains de l'endroit où ils pourraient le trouver. Il fit ensuite bâtir 295 d'autres pièces, des salles, des couloirs et des galeries, qui s'entrecroisaient en tous sens et formaient un labyrinthe où lui seul pouvait se retrouver. C'est ainsi que sa forteresse reçut le nom de Château Spiral.

Même ainsi, Rhitta n'était pas satisfait. Il ordonna aux 300 bâtisseurs de creuser encore plus profond, jusqu'à ce qu'ils

ne pussent aller plus loin. Ils aménagèrent alors au sein de la roche vive une chambre où il entassa d'importantes provisions, des trésors d'or et de denrées, des coffres emplis de joyaux somptueux, des robes de riche fourrure et des faisceaux 305 d'armes finement ciselées. Il fit dresser une haute couche où il s'allongea, l'épée noire à portée de la main. Enfin, Rhitta était content. Nul ennemi ne pourrait le trouver et aucune armée ne pourrait abattre les murailles. Même ainsi, il exigea que ses guerriers demeurent auprès de lui, l'épée à la main.

310 Cette nuit-là, il trouva facilement le sommeil. Mais, bientôt, des murmures douloureux vinrent à nouveau le réveiller. Le berger était revenu, et ses blessures ouvertes souillaient la toison de l'agneau qu'il portait.

Persuadés qu'il n'y avait aucun danger, les guerriers 315 s'étaient endormis à même le sol. Rhitta aurait voulu appeler au secours mais sa voix s'éteignit dans sa gorge quand Amrys se rapprocha de lui.

– Infortuné souverain, dit la voix plaintive du berger, vous n'avez pas voulu m'écouter. Vous m'avez tué jadis pour une 320 barrière brisée mais, depuis, vous vous êtes tué vous-même à plus de cent reprises. J'ai pitié de vous, Sire, comme j'aurais pitié de toute créature misérable.

Le berger tendit la main comme pour effleurer le visage de Rhitta.

325 Mais Rhitta crut qu'Amrys voulait le frapper et il recouvra sa voix pour pousser un hurlement de terreur. Dans le même temps, rassemblant toutes ses forces et bandant tous ses muscles en un ultime effort, il empoigna la garde de Dyrnwyn et tenta de l'arracher à son fourreau. Il lança un cri de triomphe 330 quand la lame se mit à glisser.

Il n'était parvenu à la sortir que de la largeur d'une main quand des langues de feu jaillirent de la garde et de toute la longueur du fourreau. Lui qui s'était montré incapable de tirer l'arme ne pouvait plus maintenant en retirer ses mains et se 335 débarrasser de l'épée flamboyante.

La flamme parcourut la chambre à la vitesse de l'éclair, frappant jusqu'aux gardes qui se relevaient péniblement. Puis, aussi rapidement qu'elle était apparue, elle s'évanouit. Le roi Rhitta s'effondra sur sa couche, serrant toujours l'épée noire 340 entre ses mains inertes. Et tout devint silencieux.

Rhitta demeura à l'endroit où il était tombé car personne ne réussit à le rejoindre au travers du dédale de couloirs et de galeries. Puis, le temps passant, n'ayant plus aucune nouvelle de lui, ses conseillers et ses courtisans comprirent qu'il était 345 mort.

Et le berger Amrys fut le seul à jamais le pleurer.

Lloyd Alexander, *L'épée Dyrnwyn*, traduction de Jacques Guiod, Omnibus, 2003.

APRÈS LA LECTURE

1 Que signifie l'avertissement gravé sur le fourreau de Dyrnwyn ?

2 Cite quatre différents termes utilisés pour désigner le roi dans les lignes 1 à 67 et précise leur forme en choisissant parmi la sélection encadrée.

• groupe du nom • nom commun
• nom propre • pronom personnel

3 La première partie du récit (lignes 18 à 86) raconte les rencontres du roi Rhitta avec le berger Amrys jusqu'à la mort de ce dernier.

a) Relève les indices de temps qui introduisent chacune des trois rencontres.

b) Décris l'évolution de l'état psychologique du roi au fil de ces trois rencontres et justifie tes réponses à l'aide d'extraits du texte.

	Rencontre 1	Rencontre 2	Rencontre 3
État psycho-logique			
Extrait du texte			

c) En quoi, selon toi, les réactions du roi ne respectent-elles pas l'avertissement gravé sur le fourreau de Dyrnwyn ?

d) Relève un extrait qui constitue un avertissement voilé proféré par le berger au roi.

e) Pourquoi est-ce inconvenant qu'un berger donne un avertissement à un roi ?

4 Dans les lignes 84 à 150, le roi pose des gestes répréhensibles qui ont un effet immédiat sur l'épée Dyrnwyn.

a) Décris ces gestes et, s'il y a lieu, relève les indices de temps qui introduisent la description de ces deux gestes.

1er geste :

2e geste :

b) Décris l'effet que ces gestes ont sur l'épée, et relève les indices de temps qui introduisent ces effets.

1er geste :

2e geste :

5 Dans les lignes 163 à 346, le fantôme du berger Amrys apparaît au roi Rhitta.

a) Quelles sont les préoccupations du roi Rhitta quand le berger lui apparaît pour la première fois ?

b) Amrys apparaît trois fois au roi Rhitta, dans des situations différentes. Où lui apparaît-il et quels effets chaque apparition produit-elle sur le roi et sur Dyrnwyn ?

	Effet sur le roi	Effet sur Dyrnwyn
1re apparition		
2e apparition		
3e apparition		

c) Explique dans tes mots les réactions de l'épée Dyrnwyn aux agissements du roi Rhitta.

6 À ton avis, quel est le climat qui règne dans le royaume de Rhitta à partir du moment où le roi décide d'éliminer ses opposants ?

7 Les lignes 310 à 346 présentent le dénouement du récit ainsi que la situation finale de l'histoire. Résume dans tes mots :

a) le dénouement : ///
b) la situation finale : ///

8 a) Quel est le temps de verbe principal du récit ? Justifie ta réponse par quelques exemples tirés des deux premiers paragraphes.

b) Quels autres temps de verbe sont employés dans le premier paragraphe ? Donne quelques exemples et justifie leur utilisation.

c) Quels temps de verbe sont employés dans le dialogue des lignes 23 à 29 ? Donne des exemples et justifie leur utilisation.

9 Dans la biographie de Lloyd Alexander, on précise que *ses personnages sont réfléchis et se remettent souvent en question.* Penses-tu que cette affirmation convient au personnage du roi ? Pourquoi ?

10 Décris l'évolution psychologique du roi et justifie tes affirmations par des éléments tirés du texte.

11 As-tu aimé ce texte ? Pourquoi ?

JOCELYN BÉRUBÉ

Le comédien, conteur et musicien québécois Jocelyn Bérubé est né en 1946 dans un village gaspésien, Saint-Nil, fermé dans les années 1970. Après avoir obtenu son diplôme du Conservatoire d'art dramatique de Montréal en 1968, il cofonde la troupe de théâtre *Le Grand cirque ordinaire*, qui, par l'audace de ses créations collectives, a transformé le paysage théâtral québécois. En 1972, il entreprend une carrière de conteur et de *violonneux*. Celle-ci l'amène à se produire dans tout le Québec, dans les communautés francophones d'autres provinces canadiennes ainsi que dans des écoles secondaires américaines. Il participe aussi aux éditions 2003 et 2004 du Festival Voix d'Amérique.

Il a produit des disques de contes comme *Nil en ville* (1976) et *La Bonne Aventure* (1980).

En parallèle avec son travail de conteur, Jocelyn Bérubé est comédien au cinéma et à la télévision.

Le site Web de Jocelyn Bérubé
http://www.jocelynberube.qc.ca/conteur.htm

http://www.electriques.ca/filles/video.f/314.php

À PROPOS DE *Un huart sur le lac*

Ce conte a été raconté lors du spectacle de *La grande nuit du conte*, au musée Pointe-à-Callière, dans le Vieux-Montréal, en 1999. Cet événement qui a réuni des conteurs du monde entier a pu être immortalisé dans un livre-CD.

Imaginez Jocelyn Bérubé seul sur scène, sans décor, avec un micro, un tabouret et son violon, dont il se sert pour ponctuer ses histoires. Cette mise en scène des plus dépouillées permet aux spectateurs de se concentrer sur l'essentiel : les mots et la voix. Jocelyn Bérubé raconte probablement *Un huart sur le lac* pour la centième fois. Il modifie certainement l'histoire, ajoutant ici et là un détail selon les réactions du public.

Un huart sur le lac, c'est l'histoire de Steve, un adolescent d'Abitibi qui, dans les années 1980, découvre la valeur d'une promesse. Ce conte mystérieux – invraisemblable, disent certains –, tous ont envie de l'entendre...

POUR SE PRÉPARER À LA LECTURE

Après avoir lu les textes des pages précédentes, réponds aux questions suivantes.

1. Si un spectacle de contes était organisé à ton école, souhaiterais-tu y assister? Pourquoi ?

2. Comment expliques-tu la popularité auprès du public adulte de conteurs comme Jocelyn Bérubé ou Fred Pellerin ?

3. Dans *Un huart sur le lac*, l'action se déroule au début des années 1980. Qu'est-ce qu'il y a de particulier dans le fait de situer un conte à cette époque ?

4. L'histoire se déroule dans la nature en Abitibi. Situe cette région du Québec sur une carte. Qu'est-ce qui caractérise son environnement ?

Un huart sur le lac

JOCELYN BÉRUBÉ

En Abitibi, une légende raconte que chaque lac (il y en a des centaines) est protégé par un esprit merveilleux d'une beauté sans pareil : le **huart** à collier, gardien de la nature sauvage.

1. Qu'est-ce qu'un *huart* ?

Au bord d'un de ces beaux lacs vivait, l'été, dans un château d'épinette et de pin, une famille dont le père avait accumulé une grande fortune en exploitant une mine d'or de la région. Or, cette famille avait un fils, Steve, encore étudiant dans un collège privé ; il passait ses étés avec ses parents à faire du bateau à moteur et à s'amuser avec les jeux que son père lui rapportait de ses voyages d'affaires.

Il avait une montre que son père lui avait **dénichée** sur le **marché noir** en Asie. Cette montre, tout à fait futuriste, avait des fonctions inouïes comme calculer, numériser sa voix, enregistrer une courte conversation, indiquer les adresses et les numéros de téléphone de ses amis, lui rappeler chaque jour ce qu'il avait à faire, mesurer les battements de son cœur au pas de course et bien d'autres choses dont je ne puis me souvenir. En ce début des années 1980, personne n'en avait encore jamais vu de semblable. On avait dit à son père que c'était un prototype qui ne serait pas mis sur le marché avant dix ans. Steve en était très fier.

> **2.** Trouve un synonyme du mot *dénichée*.
>
> **3.** Que signifie *marché noir*?

Un soir de juillet, alors qu'il faisait un tour de bateau, il décida d'arrêter le moteur au milieu du lac. C'était une soirée magnifique; la lune brillait dans le ciel comme une pièce d'argent. Le lac était calme et silencieux. Steve enleva sa montre pour faire miroiter la lune dans un couvercle en acier inoxydable et s'y regarder lui-même.

> **4.** Relève la comparaison contenue dans les lignes 26 à 33.

Un coup de vent soudain fit tanguer le bateau. Steve échappa sa montre et celle-ci tomba dans l'eau et disparut. Le garçon poussa un cri de désespéré, car on lui avait dit que le lac était sans fond. Il se lamentait, bercé par le yacht qui ne pouvait le consoler. Soudain, un clapotis lui fit lever la tête; croyant rêver, il vit apparaître, au milieu d'un bouillon d'eau, une

40 jeune fille au visage **basané** orné d'un collier de perles blanches. Elle **ébroua** ses longs cheveux noirs en riant, puis vint appuyer ses bras sur le rebord du hors-bord. Elle dit:

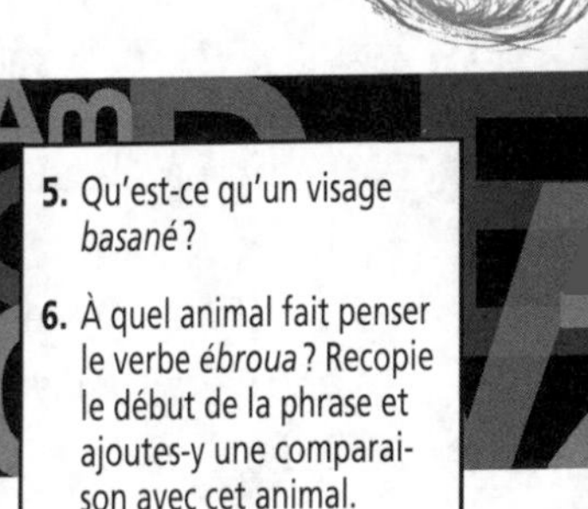

5. Qu'est-ce qu'un visage *basané* ?

6. À quel animal fait penser le verbe *ébroua* ? Recopie le début de la phrase et ajoutes-y une comparaison avec cet animal.

45 – Pourquoi gémis-tu comme ça?

– Ah! J'ai perdu ma montre! Mon père m'avait dit d'y faire attention, que je ne pourrais jamais en avoir une autre pareille!

50 Il gémissait, sans même se demander ce qu'une jeune fille pouvait faire, si tard, au milieu du lac.

– Que me donneras-tu si je te la rapporte? lui demanda-t-elle.

– Tout ce que tu voudras!

– Ce que j'aimerais, c'est être ton amie!

55 – D'accord, t'es mon amie!

La jeune fille poussa un cri joyeux et disparut dans un plongeon gracieux.

À genoux sur le devant du bateau, comme en prière, Steve regardait l'eau noire qui ne réfléchissait vaguement que son

60 visage. Tout à coup, la jeune fille refit surface en agitant la montre au bout de ses doigts. Elle lui lança :

– Tu es chanceux, j'ai attrapé la truite grise par la queue ; elle s'était glissée dans le bracelet de la montre et s'apprêtait à filer ! Alors, maintenant, on est amis, quel est ton nom ?

65 – Je m'appelle Steve, mais il faut que je rentre maintenant, dit-il en glissant la montre à son poignet...

Il démarra le moteur et partit à plein gaz en direction de la maison.

Une journée passa, peut-être deux. Un soir, Steve et ses 70 parents étaient attablés pour le souper, sous le regard vitreux des orignaux **empaillés**, accrochés au-dessus du foyer, lorsqu'on sonna à la porte. Ils en furent surpris, car ils étaient les seuls à habiter au bord du lac.

7. Comment s'appelle l'art d'*empailler* des animaux ?

75 – C'est peut-être quelqu'un qui s'est perdu, dit la mère en allant ouvrir. Sur le seuil de la porte se trouvait une jeune fille bizarrement vêtue d'une veste à franges, en daim noir tacheté de blanc. Elle demanda à voir Steve.

– Un instant..., répondit la mère en lui tournant le dos pour 80 revenir dans la salle à manger.

– C'est pour toi. Une jeune fille... !

– C'est sûrement celle dont j'ai commencé à vous parler, répondit Steve, embarrassé.

Il n'avait pas fini sa phrase que déjà elle apparaissait dans 85 la salle à manger où seuls les orignaux empaillés avaient l'air hospitaliers.

Une grande partie du texte qui suit est constituée de dialogues. Prête une attention particulière à ces passages, qui fournissent des indications sur ce que Steve ressent envers la jeune fille : sentiments d'impatience, d'agacement, de colère.

– Bonjour, Steve ! Ah ! que c'est beau ici ! Qu'est-ce que vous mangez ? Du steak d'orignal ! Moi, ce que j'aime, c'est le poisson... Elle s'assit à côté du garçon.

90 Steve et ses parents **avaient l'air en fusil**; Steve se leva d'un bond en marmonnant:

– J'ai pas très faim... Ça m'a fait plaisir de te rencontrer. Je monte dans ma chambre.

95 – Attends-moi, lança la jeune fille, je vais t'accompagner!

Elle le suivit dans l'escalier.

8. Les parents de Steve sont-ils :
- contents?
- mécontents?

9. Dans les lignes 92 à 108, relève 3 exemples d'une construction syntaxique qui appartient à la langue familière.

– Tu as sûrement un sac de couchage à me prêter! Je pourrais dormir ici cette nuit, au pied de ton lit. Il est déjà 100 tard pour rentrer.

– J'ai pas de sac de couchage! lui jeta le garçon hors de lui.

Il agrippa la jeune Amérindienne par les poignets en lui donnant une poussée; elle faillit tomber, mais s'appuya sur la fenêtre panoramique qui donnait sur le lac.

105 – Tu peux pas rester ici, tu sens la gomme de sapin à plein nez! Il criait comme un enfant gâté, les poings et les yeux fermés. Quand il les ouvrit, il la vit debout sur le rebord de la fenêtre; elle avait les yeux rouges et perçants.

– Tu vas pas te mettre à pleurer pour ça! Je veux pas 110 d'histoires! Je vais te payer, combien veux-tu?

Elle lui répondit :

– Je ne suis pas en train de pleurer. Mes yeux prennent leur vraie couleur et voient mieux ainsi ce que tu es vraiment. Tu as **un cœur de pierre** et une 115 langue de bois ; comment pourrais-tu être mon ami ? Tu veux acheter ce qui n'a pas de prix. Croire en ton amitié serait me leurrer, comme tu le fais toi-même en 120 croyant que le lac n'a pas de fond ! Le lac est ma raison de vivre et je croyais que tu pourrais être dans ma vie. Je me suis trompée. Je suis sortie de l'eau pour te secourir. Tu semblais perdu, tu l'es encore. Tu te souviendras de moi !

10. Reformule la métaphore *un cœur de pierre* en y ajoutant un terme comparatif qui ne changera pas le sens de l'expression.

Rien n'aurait pu produire un choc plus grand que celui que 125 Steve eut à cet instant. La jeune Amérindienne se transforma sous ses yeux : elle se recroquevilla dans un coin de la fenêtre ; les franges de sa veste noire tachetée de blanc se changèrent en ailes d'oiseau, son collier, en plumes blanches et son sourire, en rire fou sortant d'un bec pointu. Noire et légère, elle se 130 lança dans l'air. Steve courut à la fenêtre, mais ne put la retenir. Sous la pleine lune, il vit s'éloigner un huart à collier, volant vers un autre lac ; sa voix perçante et folle de liberté cognait sur les montagnes et éclatait en un écho immense et sauvage.

Steve comprit que ce moment resterait gravé en lui le reste 135 de sa vie. Déboussolé, il voulut reprendre ses esprits et revenir dans son monde à lui. Il ouvrit sa montre, mais l'écran

resta vide, sans voix ni mémoire ; le temps s'y était arrêté. Il **pitonna** en vain les boutons programmés, la montre resta silencieuse, le robot, figé et le miroir, cassé. Rageur, il lança la montre dans le lac et referma la fenêtre.
140

11. a) Quel nom est à l'origine du verbe *pitonna* ?
b) Trouve un synonyme de ce nom.
c) Reformule le début de la phrase en supprimant le verbe familier *pitonna*.

Il se sentit épuisé tout à coup. Ses poches de pantalon devinrent lourdes. Le matin, il y avait mis un rouleau de pièces de monnaie ; c'était la nouvelle monnaie fraîchement arrivée sur le marché, en cette année 1982, la monnaie-dollar de l'économie, le « **huart** ». Dans sa main, les « huarts » flambant neufs brillaient comme des pièces d'or. Son cœur se serra et il voulut lancer la monnaie dans le lac ; mais il se rappela la recommandation de son père, de ne jamais **jeter d'argent par les fenêtres**.

> **12.** Le mot *huart* sert à désigner une pièce de monnaie canadienne. Quelle est sa valeur?
>
> **13.** Explique l'expression *jeter l'argent par les fenêtres.*

Les années ont passé. Aujourd'hui, un homme voyage dans le nord de l'Abitibi, jadis territoire algonquin. Il y travaille pour un ministère et passe souvent la nuit dans des abris de fortune au bord des lacs. Il s'appelle Steve. Chaque fois, il écoute le son des vagues et l'écho du vent, dans l'espoir d'entendre un cri solitaire qui lui lancerait un appel, un chant venant d'un monde inconnu, où l'amour habite dans des châteaux merveilleux suspendus par les fils du temps, au milieu d'un lac sans fond.

Jocelyn Bérubé, « Un huart sur le lac », *La grande nuit du conte*, Planète rebelle, 2000.

APRÈS LA LECTURE

1 L'univers narratif de ce conte est bien présenté dans les trois premiers paragraphes du texte (lignes 1 à 33).

a) Où se déroulent les événements racontés ?
b) À quel moment de l'année se déroulent-ils ?
c) Qui est le personnage principal ?
d) Relève quatre passages qui révèlent que le personnage principal vit dans un monde à l'aise financièrement ?

2 À quel appareil populaire disponible aujourd'hui s'apparente la montre que Steve a reçue de son père? Pourquoi ?

3 Quel événement déclenche les péripéties racontées dans cette légende ?

4 À quel moment du récit Steve fait-il face au fantastique ?

5 Quel pacte Steve passe-t-il avec la jeune fille du lac ?

6 a) Comment l'auteur dit-il que la jeune Amérindienne n'est pas la bienvenue lorsqu'elle interrompt le souper de la famille de Steve ?
b) Quel type de séquence l'auteur a-t-il choisi pour décrire cette visite ?
c) Quels indices t'ont permis de reconnaître cette séquence ?
d) Quel effet ce choix a-t-il sur les lecteurs?

7 Dans la séquence descriptive des lignes 124 à 133, relève des passages qui décrivent le huart à collier.

8 a) Le jeune homme a-t-il respecté le pacte qu'il avait fait avec la jeune Amérindienne ? Justifie ta réponse.
b) Que s'est-il produit lorsque la jeune fille s'est rendu compte que Steve ne la considérait pas comme son amie ?

9 À un moment du récit, Steve semble regretter son comportement envers la jeune fille.

a) Comment ce regret se manifeste-t-il ?
b) Quelle image l'auteur utilise-t-il pour évoquer ce regret ?

10 Donne un titre aux péripéties rapportées :

a) dans les lignes 38 à 68 : //
b) dans les lignes 69 à 123 : //
c) dans les lignes 124 à 143 : //

11 Comment interprètes-tu la situation finale de cette légende (lignes 155 à 162) ?

STANISLAS LEM

Stanislas Lem est un écrivain de science-fiction polonais né en 1921 et mort en 2006. Il a d'abord entrepris des études en médecine, qu'il a dû interrompre à cause de la Seconde Guerre mondiale. Il a rejoint la Résistance contre les Allemands (envahisseurs de la Pologne). Après la guerre, il est devenu assistant de recherche scientifique, consacrant ses temps libres à l'écriture de romans. Son œuvre, traduite en plusieurs langues, porte un jugement critique sur le comportement humain et sur le futur technologique de l'humanité. Dans son univers fictif, il met en scène des mouches mécaniques (*L'Invincible*) ou un monde océanique rempli d'êtres étranges (*Solaris*) avec lesquels les humains ne peuvent communiquer. On le compare à Jules Verne (*Le Tour du monde en quatre-vingts jours*) pour ses visions du futur.

Du même auteur…
Solaris (1966)
Le Bréviaire des robots (1967)
Éden (1972)

D'après son roman *Solaris*:
Solaris, Andreï Tarkovski (1972)
Solaris, Steven Soderbergh (2002)

À PROPOS DE

Comment le monde échappa à la ruine

Ce texte est le dernier du livre *Une foule d'histoires*. Ce n'est ni un conte ni une légende, mais bien une nouvelle aussi fantaisiste que tous les textes que tu as lus jusque-là dans ce recueil. Il y est question d'une machine dotée de pouvoirs extraordinaires, qui fait penser aux génies qu'on trouve parfois dans les contes traditionnels. La machine, tout comme un génie, exécute à la lettre le souhait exprimé. Il y a de quoi faire réfléchir à la manière de formuler un souhait !

Voici donc la machine du constructeur *Trurl*... D'ailleurs, quel nom étrange : *Trurl* ! L'auteur, Stanislas Lem, a inventé un monde de toutes pièces, et même les mots qu'il emploie dans le texte sont le fruit de son imagination débordante...

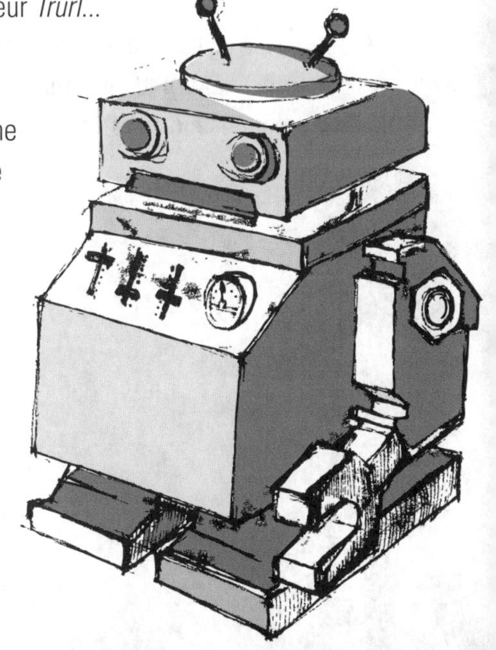

POUR SE PRÉPARER À LA LECTURE

Après avoir lu les textes des pages précédentes, réponds aux questions suivantes.

1. Avec un tel titre, est-ce que l'histoire racontée sera angoissante, joyeuse, triste, optimiste ou pessimiste ?

2. Beaucoup d'histoires présentent des machines extraordinaires. Nomme quelques-unes de ces machines qu'on retrouve dans les œuvres de fiction.

3. Crois-tu qu'un jour les êtres humains construiront des machines qui pourraient potentiellement conduire à la *ruine du monde* ? Justifie ta réponse.

4. Stanislas Lem invente des mots dans son histoire. Crois-tu qu'un écrivain a le droit d'inventer des mots ? Aurais-tu le droit, toi aussi, de créer des mots nouveaux dans le cadre d'un travail scolaire ?

Comment le monde échappa à la ruine

STANISLAS LEM

Le grand constructeur Trurl conçut un jour une machine qui savait faire tout ce qui commençait par la lettre *n*. Lorsqu'elle fut prête, afin de la mettre à l'épreuve, il lui demanda de confectionner des nattes, de les nouer avec du nylon – qu'elle-même venait de fabriquer – puis de jeter le tout dans une niche entourée de nappes, de navettes et de nacre. La machine exécuta ces ordres à la lettre. Cependant, n'étant point encore tout à fait assuré de son bon fonctionnement, il lui ordonna de produire tour à tour des **nimbes**, des nefs, des nacelles, des neutrons, des nez, des nymphes et du ***natrium***. Mais elle ne sut guère exécuter la dernière de ces tâches, et Trurl, fort contrarié, lui demanda des explications.

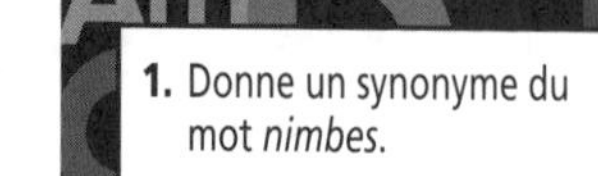

1. Donne un synonyme du mot *nimbes*.

2. Trouve dans la suite du texte ce qu'est le *natrium*.

– J'ignore ce qu'est le *natrium*, répondit la machine, je n'en ai jamais entendu parler.

– Allons bon ! Mais c'est du sodium, voyons ! Un métal, un élément chimique...

– Du sodium, dis-tu ? La première lettre est donc un *s* ; tu oublies que je puis seulement fabriquer ce qui commence par un *n*.

– Peut-être, mais en latin cela s'appelle *natrium*.

– Mon pauvre ami, déclara la machine, si je savais faire tout ce qui commence par *n* dans tous les idiomes du monde, je serais une Machine Qui Sait Tout Faire Depuis A Jusqu'à Z, car le nom de n'importe quel objet doit certainement commencer par un *n* dans une langue ou une autre... Ce serait trop facile. Je ne puis faire mieux que tu ne l'as voulu. Désolé, mais il n'y aura point de sodium.

– Soit, convint Trurl, et il lui demanda de fabriquer une nébuleuse.

La machine en fit aussitôt une qui, quoique de taille modeste, était d'une blancheur éclatante. Puis, ayant convié en sa demeure le constructeur Clapaucius, Trurl voulut le 35 présenter à sa machine; il lui vanta si longuement les dons exceptionnels de son invention que Clapaucius, pris d'une secrète fureur, lui demanda la permission de donner lui aussi un ordre à la machine.

– Qu'à cela ne tienne, répondit Trurl, mais n'oublie pas 40 que la première lettre doit être un *n*.

– Un *n* ? fit Clapaucius, soit. Qu'elle me fasse donc une **nation**.

La machine émit une sorte de vrombissement, et bientôt, la place qui s'étendait devant la demeure de Trurl s'emplit d'une foule de nationalistes. Les uns se prenaient aux cheveux, les autres écrivaient dans de gros registres, d'autres encore s'en saisissaient et les mettaient en lambeaux ; au lointain, on pouvait apercevoir d'immenses bûchers au sommet desquels brûlaient les martyrs de la nation. Çà et là on entendait le bruit d'une canonnade, d'étranges fumées en forme de champignon s'élevaient ; tout le monde parlait en même temps, si bien qu'il était impossible de distinguer un seul mot. De temps à autre, occupés à rédiger des mémoires, des appels et autres semblables documents, au pied de la foule en délire, quelques vieillards solitaires étaient assis et traçaient des pattes de mouche sur des bouts de papier déchiré.

3. Trouve dans le paragraphe ci-contre un mot de la même famille que *nation* et cherches-en deux autres dans le dictionnaire.

– Eh bien, qu'en dis-tu ? s'exclama Trurl, plein de fierté, avoue-le, n'est-ce pas la nation tout crachée ?

Cependant, Clapaucius n'était guère satisfait.

– Comment ! Tu oses prétendre que cette **cohue** représente une nation ? Mais cela n'a rien à voir !

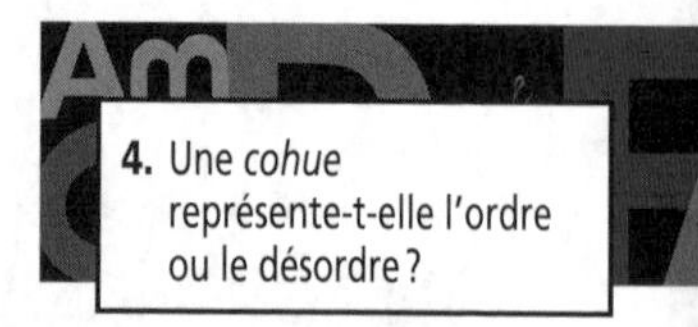

4. Une *cohue* représente-t-elle l'ordre ou le désordre ?

– Explique-toi donc, et la machine fera ce que tu voudras, répartit Trurl irrité.

Mais Clapaucius ne trouva rien à dire : c'est pourquoi il déclara qu'il confierait encore deux tâches à la machine : si
70 celle-ci parvenait à les exécuter, il reconnaîtrait alors pleinement ses mérites.

Trurl y consentit, et Clapaucius pria la machine de lui fabriquer des négatifs.

– Des négatifs ? s'écria Trurl, mais ça ne veut rien dire !

75 – Comment, ça ne veut rien dire ! Voyons, mais c'est l'envers des choses, répondit calmement Clapaucius, d'un côté le positif, de l'autre le négatif. Inutile de faire l'ignorant, allons, machine, à l'ouvrage !

Or la machine s'était déjà mise
80 à l'œuvre depuis un bon moment. Elle commença par fabriquer des antiprotons, puis elle fit des antiélectrons, des antineutrinos et des antineutrons ; et elle besogna si
85 longtemps sans souffler qu'elle produisit une énorme quantité d'antimatière, laquelle se mit à former peu à peu un antimonde, semblable à une nuée luisant étrangement au sein de la nébuleuse.

5. Dans les lignes 79 à 89 :
a) quel préfixe représente le négatif ?
b) relève tous les mots qui contiennent ce préfixe et, pour chacun, donne son antonyme.

90 – Hum ! fit Clapaucius fort mécontent, sont-ce là des négatifs ? Bon, admettons-le, convenons-en, histoire d'avoir la paix… Mais voici quel est mon troisième commandement, ô machine, il commence lui aussi par la lettre *n* : néant.

Pendant un long moment la machine ne bougea pas. 95 Clapaucius se frottait déjà les mains de satisfaction. Alors, Trurl s'exclama :

– Que lui veux-tu donc ? Tu lui as toi-même demandé de ne rien faire !

– C'est faux. Je lui ai demandé de faire le néant !

100 – En voilà des histoires ! Tu as dit : « néant », ce qui signifie qu'il n'y a rien à faire.

Quelles conséquences pourraient entraîner une machine capable de créer le néant ? Valide ton hypothèse quand tu auras terminé la lecture du texte.

– Pas du tout ! Je lui ai ordonné de faire le néant, or son activité s'est réduite à néant ; ce n'est pas la même chose. Par conséquent j'ai gagné. Vois-tu, mon trop malin confrère, le 105 néant n'est point une chose ordinaire, le produit de la fainéantise et de l'inactivité ; c'est d'un néant actif, productif, qu'il s'agit, c'est-à-dire de la Non-existence totale, unique, omniprésente et suprême… en personne !

– Tu tournes en bourrique ma pauvre machine ! s'écria Trurl.

110 Mais à l'instant même une voix d'airain se fit entendre :

– Cessez donc de vous quereller, ce n'est pas le moment ! Je sais parfaitement ce qu'est le Non-être, la Non-existence, le Nul ; tout cela se trouve à la lettre *n*, classé sous la rubrique « Néant ». Je vous conseillerais plutôt de regarder le monde une
115 dernière fois, car bientôt il aura cessé d'exister...

Furieux, les deux constructeurs ne purent proférer une parole. Et en effet, la machine s'était mise de ce pas à faire le néant. Voici comment elle s'y prenait : subtilisant tour à tour les
120 divers objets qui meublaient le monde, elle faisait en sorte qu'ils s'évanouissent sans laisser de traces. Elle était déjà parvenue à éliminer naquets, niffles, nantoches, nolestes, nécriers et
125 nipouilles. Parfois, il semblait qu'au lieu de réduire, diminuer, biffer, supprimer, anéantir et ôter, elle augmentât et ajoutât quelque chose ; en effet, elle avait pu abolir de la sorte la négligence, la nervosité, la niaiserie, le nihilisme, la nocivité et la nullité. Mais bientôt, l'air se raréfia de nouveau sous le regard
130 des deux constructeurs.

6. Dans les lignes 116 à 130, l'auteur s'est amusé à inventer des mots commençant par la lettre *n*. Repères-en au moins quatre.

– Oh là là ! s'écria Trurl, pourvu que tout cela ne finisse pas mal...

Allons donc ! s'exclama Clapaucius, tu vois bien que son but n'est pas d'aboutir au Néant total, mais seulement à la Neutralisation de tous les objets commençant par *n* : rien de fâcheux ne peut advenir car, avoue-le, ta chère machine ne vaut point tripette !

– C'est ce que tu crois, objecta celle-ci. Si je me suis d'abord attaquée à tout ce qui commence par un *n*, c'est uniquement parce que ce domaine m'est plus familier. Mais créer est une chose, anéantir en est une autre. Je puis tout annihiler, pour la simple raison que je sais faire tout ce qui commence par *n*, tout, ce qui s'appelle tout. Faire le néant est donc pour moi un jeu d'enfant ! Vous aurez tantôt cessé d'exister, vous et le reste du monde. Or donc, mon bon Clapaucius, hâte-toi de proclamer que je suis une machine universelle qui exécute les ordres comme il se doit, car dans un instant il sera trop tard.

7. Relève dans les lignes 138 à 149, à deux endroits différents, deux verbes qui sont des antonymes.

– Mais... commença Clapaucius en proie à une grande frayeur, et, au même moment, il s'aperçut que diverses choses avaient disparu, qui ne commençaient point toutes par la lettre *n*.

Adieu, cambuselles, jartoufles, rétroques, porniches, crémondes, tripiques et babillons !

– Attends, attends ! Je retire ce que j'ai dit ! Arrête, ne fais point le Néant ! s'époumonait Clapaucius.

Mais avant que la machine n'ait eu le temps de s'arrêter, prunaises, échiques, philidrons et estourbes s'étaient évanouis à leur tour. Alors seulement, elle s'immobilisa. Comme le monde était effrayant à voir ! C'était la nébuleuse qui avait subi le plus grand dommage. On y pouvait tout juste entrevoir les minuscules points des étoiles ; où donc étaient les incomparables **porniches**, les superbes **scontelles** qui naguère encore avaient paré de leur beauté la nébuleuse entière ?

8. D'après le contexte, où pourrait-on voir des *porniches* et des *scontelles* ?
- dans le ciel
- sur la terre
- dans la mer

– Ciel ! s'écria Clapaucius, mais où sont les cambuselles d'antan ? Que sont devenus mes ronflins bien aimés ? Las, où sont passés mes doux babillons ?

– Tout cela n'existe plus et n'existera plus jamais, répondit tranquillement la machine. Je n'ai fait qu'exécuter tes ordres, ou du moins, j'ai commencé...

– Je t'ai demandé de me faire le Néant, et toi... toi...

– Clapaucius, ou bien tu es un imbécile, ou bien tu fais semblant d'en être un, déclara la machine. Si j'avais fait le Néant, comme cela, d'un seul coup, toute chose aurait immédiatement cessé d'exister : Trurl, la nébuleuse, le ciel, l'univers, et, pis encore, moi-même. Il n'y aurait eu personne pour affirmer que l'ordre a bien été exécuté, plus de machine pour s'entendre vanter ses qualités ! Comment donc aurais-je pu, ayant à mon tour disparu, obtenir la satisfaction qui m'est due ?

– Soit, n'en parlons plus, fit Clapaucius, je ne te demanderai plus rien, jolie petite machine, mais je t'en supplie, rends-moi mes scontelles, car sans elles, la vie pour moi n'a plus d'attrait !

Comment le pourrais-je ? rétorqua la machine, cela commence par un *s* ! Si tu veux, je puis refaire la négligence, la noirceur, la niaiserie, la nullité, la névrose, la nonchalance, la nébulosité et la nausée. Mais surtout, n'exige rien qui commence par une autre lettre !

– Je veux revoir mes scontelles ! rugit Clapaucius.

– Nenni, tu n'auras point de scontelles, fit la machine.
195 Vois donc comme le monde est à présent bourré de trous noirs, comme il est plein d'un Néant qui ronge les abîmes vertigineux, béant entre les étoiles, regarde comme tout alentour respire le Néant, comme le Non-être avide est à l'affût de chaque miette d'existence. C'est là ton œuvre, ô homme
200 envieux ! Je doute fort que les générations à venir te bénissent pour tes exploits.

– Peut-être que personne n'apprendra jamais... que personne ne remarquera, balbutia Clapaucius tout blême.

Incrédule, il observait le ciel vide et noir, sans oser regar-
205 der son confrère dans les yeux. Puis, le laissant debout devant la machine qui savait faire tout ce qui commence par la lettre *n*, il s'en fut chez lui en catimini.

Depuis ce temps-là, le monde est resté truffé de néant, tel que l'a laissé Clapaucius, freinant à temps l'œuvre destructrice
210 que lui-même avait ordonnée. Et, comme nul n'est parvenu à construire de machine capable de fabriquer une seule chose commençant par n'importe quelle autre lettre, il y a tout lieu de le craindre, nous ne verrons jamais plus, dans les siècles des siècles, ces phénomènes incomparables qu'étaient jadis
215 pour nous les babillons et les scontelles.

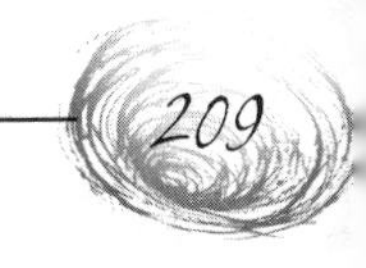

APRÈS LA LECTURE

1. Quel type d'univers a créé Stanislas Lem dans ce récit? Justifie ta réponse.

2. Au début du texte, les personnages sont le constructeur Trurl et la machine qu'il a créée.
   a) Dans le premier paragraphe, quelle est la relation entre ces deux personnages?
   b) Dirais-tu que, dans le reste du texte, cette relation reste la même?
   c) Dans les lignes 23 à 29, relève un extrait qui rend compte des limites de la machine? Justifie ton choix.
   d) Quelles caractéristiques rapproche la machine des êtres humains?

3. Pourquoi l'arrivée de Clapaucius perturbe-t-elle la suite du récit?

4. a) Que pense Clapaucius de la nation faite par la machine? Justifie ta réponse à l'aide d'un extrait.
   b) Si on te disait que la machine a fait preuve d'humour en créant cette nation, comment l'expliquerais-tu?

5. a) Quelle définition Clapaucius donne-t-il du néant?
   b) Que prédit la machine à la suite de la demande de Clapaucius?

6. Quels éléments anéantis par la machine font dire au narrateur: «*parfois, il semblait qu'au lieu de réduire, diminuer, biffer, supprimer, anéantir et ôter, elle* [la machine] *augmentât et ajoutât quelque chose*» (lignes 125 à 127)?

7 Les lignes 131 à 203 contiennent un long dialogue entre la machine et Clapaucius.

a) Ces répliques sont généralement suivies d'une indication sur les personnages qui parlent. Souvent, dans cette indication, le verbe permet d'illustrer l'attitude du personnage. Relève ces verbes.
b) Quelle situation est à l'origine de ce dialogue?
c) Quel rôle joue cette séquence dans l'évolution du récit?
d) Quelle est la conclusion de ce dialogue:
Pour la machine?
Pour Clapaucius?

8 a) À quel moment Clapaucius commence-t-il à croire que la machine peut vraiment créer le néant?
b) Pourquoi la machine a-t-elle procédé par étape dans son processus de destruction?

9 Dans quel état psychologique est Clapaucius à la fin du récit?

10 L'histoire se termine sur une note mélancolique, mais aussi avec une pointe d'humour. À ton avis, qu'est-ce qu'il y a de mélancolique et de comique dans le dernier paragraphe?

11 a) Quelle est la cause de l'existence du néant dans notre monde?
b) Selon la logique du récit, pourquoi le monde est-il encore *truffé de néant*?

H Haut **B** Bas **G** Gauche **D** Droite **M** Milieu

6 HD © *Fantastiques légendes du Québec: récits de l'ombre et du sombre*, sous la direction de Nicole Guilbault, illustration Geneviève DeCelles, Éditions ASTED, Montréal, 2001 **6 G** © iStockphoto **13** © bensliman hassan / Shutterstock **14 G** © Lakhesis / Shutterstock **23** © Yves Rouillard **25** © neff / Shutterstock **26 HM** © Sibrikov Valery / Shutterstock 26 HD © Chris Hellier / Corbis **26 G** © Garsya / Shutterstock **28** © Bogdan Wankowicz / Shutterstock **35 BG** © lineartestpilot / Shutterstock **35 BD** © lineartestpilot / Shutterstock **36 HM** © mattalia / Shutterstock **36 HD** © ND / Roger-Viollet / The Image Works **36 G** © buruhtan / Shutterstock **38** © Roberto castillo / Shutterstock **51 B** © AlexRoz / Shutterstock **52 HM** © Lane V. Erickson / Shutterstock **52 HD** © Gracieuseté de Domingo Santos **52 G** © Dvpodt / Shutterstock **54** © charles taylor / Shutterstock **65** © Kristy Pargeter / Shutterstock **66 HD** © Castor Poche Flammarion **66 G** © iStockphoto **67** © iStockphoto **80 HM** © Cyphix-photo / Shutterstock **80 HD** © Boris Lipnitzki / Roger-Viollet/The Image Works **80 G** © Knud Nielsen/Shutterstock **101** © SVLuma/Shutterstock **102 HM** © Kaspri/Shutterstock **102 HD** © Gracieuseté d'Ann Rocard **102 G** © dibrova/Shutterstock **112** et **113** © Justin Williford/Shutterstock **120 HM** © mattalia/Shutterstock **120 G** © William Milner/Shutterstock **126** © kaband/Shutterstock **130** et **131** © vnlit/Shutterstock **132 HM** © Rtimages/Shutterstock **132 HD** Gracieuseté de Didier Dufresne **132 G** © Teo Boon Keng Alvin/Shutterstock **133**, **134** et **145** © Anton Novik/Shutterstock **146 HD** © J. Kuhn-Régnier **146 G** © Mastering_Microstock/Shutterstock **155** © Konstantin L/Shutterstock **156 HM** © Kaspri/Shutterstock **156 G** © rafa sanchez ruiz/Shutterstock **178** et **179** © Pics by Nick/Shutterstock **180 HM** © Nickolay Khoroshkov/Shutterstock **180 HD** © Le Soleil **180 G** © MaleWitch/Shutterstock **181** © Evgeny Korshenkov/Shutterstock **193** © Hein Nouwens/Shutterstock **194 HM** © Cyphix-photo/Shutterstock **194 HD** © AF Archive/Alamy **194 G** © Bruce Rolff/Shutterstock **195** © svetlin rusev/Shutterstock **196** © blambca/Shutterstock

Photos communes à plusieurs textes :

Cadran en spirale:
© ecco/ Shutterstock (p. 43, 58, 74, 89, 107, 138, 171, 187, 202)

Bobine de film:
© Relja/Shutterstock (p. 26, 36, 66, 80, 156, 194)

Souris d'ordinateur:
© CarinaPhoto/Shutterstock (p. 102, 180)